Jeanet Bathoorn

Get Social

Online netwerken voor beginners

SCRIPTUM

Eerste druk, februari 2011
Tweede druk, maart 2011

Copyright © 2011 Jeanet Bathoorn
Fokke & Sukke illustratie pag. 93 © Reid, Geleijnse & van Tol
Grafische vormgeving binnenwerk en cover www.igraph.be

ISBN 978 90 5594 742 3 | NUR 801 Management Algemeen

www.get-social.nl
info@scriptum.nl
www.scriptum.nl
Twitter.com/ScriptumNL

Inhoud

• • • • • •

Voorwoord

Ik ben opgegroeid in Noord-Nederland. Daar groei je heerlijk op, te midden van bossen. De Randstad is erg ver weg. Wat er in Den Haag gebeurde, zag je hoogstens op de televisie. Daarom is het fantastisch dat je anno 2010 kunt twitteren met fractievoorzitters, ministers, topsporters, presentatoren, zangers… waar ze zich ook bevinden.

Na een aantal studiejaren in Groningen heb ik mijn HEAO – International Marketing studie afgerond in Den Haag. Ik woonde achtereenvolgens in Rotterdam, Schoonhoven en Nijmegen. Verhuizen is spannend, maar kan tegelijkertijd ook verwatering

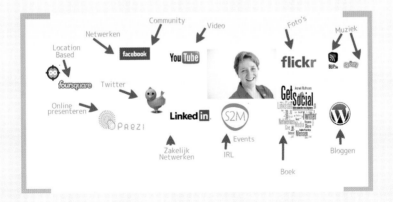

van je contacten betekenen. Via *social networking* kun je tegenwoordig contact houden met vrienden en vriendinnen uit je geboortedorp, met middelbareschoolvrienden, studiegenoten, collega's uit het halve land, ex-buren, enzovoort. Uit het oog, uit het hart wordt nu 'See you on Twitter, Hyves, LinkedIn...'

Toen ik een jaar of acht was, woonde ik in Roden, vlakbij Groningen. Als zevenjarige begon ik te beseffen dat Roden niet het middelpunt der aarde was. Hoe kwam dat nou? Ik kon namelijk ineens lezen. Opgegroeid in dialect gingen wij altijd naar *Laivern* op bezoek bij de familie. Totdat ik de borden kon lezen, daar stond met hoofdletters:

LIEVEREN

Dat kon ik niet verklaren, mijn ouders ook niet. Waarom zeggen ze 'Laivern' en staat er Lieveren? Er is dus meer dat zij niet weten, en waarschijnlijk zelfs meer dan ik te weten kan komen. Mijn fascinatie voor de wereld rondom me is daar begonnen. Op dat ene kruispunt (voor de kenners, het kruispunt Brink, Heerestraat, Raadhuisstraat in Roden – vlakbij het beeld van Ot en Sien).

Van Ot en Sien naar twitteren met de minister. Vroeger kon dat niet. Nu wel. En daarom is online netwerken zo belangrijk. Het contact met de wereld om je heen is zo rijk als je 'soortgenoten' vindt. Het biedt warmte als je familie aan de andere kant van de wereld woont. Het is snel als je antwoorden zoekt. En wat nog

belangrijker is: er gaan deuren voor je open die vroeger gesloten zouden blijven. Dankzij Twitter kom ik op veel plaatsen, ik reis door het hele land en word overal warm onthaald en herkend, omdat ze mijn foto alvast bestudeerd hebben. Online netwerken geeft mij werk, kansen, inspiratie en heel veel lol.

De directe aanleiding voor het boek is dat ik veel spreek in het land en merk dat het zeer wordt gewaardeerd dat ik op een heldere en laagdrempelige manier de materie kan uitleggen, ook aan beginners of aan mensen die weerstand voelen. Dat plezier gun ik iedereen!

JEANET BATHOORN

januari 2011

Hoe werkt dit boek?

Je hoeft het niet van voren naar achteren te lezen. Nee zeg! Zap er doorheen en beslis zelf waar je begint.

- Zoek je een zakelijk netwerk, profileer je je als ondernemer of wil je gevonden worden door headhunters?
  ⇨ *Begin dan met LinkedIn* (pagina 53)

- Ben je op zoek naar een rijk, divers netwerk? Houd je van snelle interacties?
  ⇨ *Begin dan met Twitter* (pagina 71)

- Wil je een eigen social community beginnen?
  ⇨ *Overweeg Facebook* (pagina 93) *of begin met Grou.ps of NING* (pagina 108)

- Ben je vrouw? Dan heb je helemaal mazzel!
  ⇨ *Er zijn veel mogelijkheden. Lees hoofdstuk 4 eerst* (pagina 142)*, daar staan alle websites speciaal voor ondernemende vrouwen.*

- Ben je een echte beginner?
  ⇨ *Maak je geen zorgen, lees het boek van voor naar achter en begin met dat wat je het meest aanspreekt. De rest volgt vanzelf.*

Dit boek gaat over netwerken, contact maken via internet, en social media. Het gaat over het verrijken van je netwerken, je wereld groter maken door op een laagdrempelige manier contacten aan te gaan en te onderhouden. Je vindt in dit boek een overzicht van vele social media sites die direct en indirect gericht zijn op netwerken, en je helemaal het 2.0-gevoel geven.

Wat zijn
social media?

Huh, social media?

Ik spreek veel mensen die bang zijn de boot te missen. Er gebeurt zo veel in de wereld en op internet en ze hebben het idee dat het te snel gaat, dat ze het nooit meer inhalen. Niets is minder waar. Ze beschouwen social media of netwerken met internet als moeilijk, en zelfs eng. Kunnen ze nog meedoen? Jazeker! Na een dag training *Digitaliseer jezelf* zei een deelnemer tegen mij: 'Ik ben blij dat ik heb meegedaan. Nu weet ik tenminste wat Twitter is en waar LinkedIn voor dient. Daarnaast heb ik allerlei handigheidjes geleerd over werken met de computer. Ik doe weer mee en ga nu eens rustig nadenken op welke sites ik profielen ga maken en waar ik mijn tijd instop.'

Social media zijn niet eng, niet moeilijk. Iedereen kan meedoen en je kunt zelf kiezen waaraan je je tijd besteedt. Ik zal nooit zeggen dat je mee moet doen. Wat ik wel vaak tegen ondernemers zeg, is dat je jezelf als ondernemer tekort doet als je niet meedoet. Je kunt in mijn opinie beter, sneller, doeltreffender ondernemen als je social media inzet.

Petra de Boevere zegt het heel helder in haar boek *Meisje van de Slijterij*: 'Social media heet niet voor niets social media en het werkt vooral als je ook sociaal gedrag vertoont. Je krijgt wat je brengt. Durf te delen.'

De definitie volgens Wikipedia luidt: 'Social media is de, ook in het Nederlandse taalgebied gangbare, Engelse benaming voor online platformen waar de gebruikers, met geen of weinig tussenkomst van een professionele redactie, de inhoud verzorgen.

Tevens is er sprake van interactie en dialoog tussen de gebruikers onderling. Onder de noemer social media worden onder andere weblogs, fora, sociale netwerken als Hyves, Facebook en LinkedIn en diensten als Twitter geschaard.' Op de website www.social-media.nl vinden we de volgende definitie: 'Social media is een verzamelnaam voor alle internettoepassingen waarmee het mogelijk is om informatie met elkaar te delen op een gebruiksvriendelijke en vaak leuke wijze. Het betreft niet alleen informatie in de vorm van tekst (nieuws, artikelen). Ook geluid (podcasts, muziek) en beeld (fotografie, video) worden gedeeld via social media websites.'

Mijn definitie van social media is simpeler:

Contact maken, houden en verstevigen via internet, met het doel je netwerk tweezijdig te verrijken. It's all about give and share!

Social media kennen vele categorieën. Hierna volgt een overzicht van diverse invalshoeken en ik weet zeker dat je al vele verschijningsvormen hebt gezien. Wie heeft er nog nooit een YouTubefilmpje gekeken? Of bij het boeken van een vakantie de recensies van anderen gelezen? Of zelfs een spelletje op internet tegen anderen gedaan? Social media zijn misschien wel meer aanwezig dan je dacht.

Wat is je doel?

Om gemotiveerd je tijd in social media te stoppen is het aan te raden om eerst na te denken over je doel. Als het belangrijk is om aan je naamsbekendheid te werken, bijvoorbeeld als ondernemer, dan kan de inzet van social media je heel veel opleveren. Je hebt iets te bieden en potentiële klanten moeten je op het spoor kunnen komen of over je horen. Je doel is bekender worden, naamsbekendheid verkrijgen, daar stem je alle social media-acties op af.

Om voortdurend in contact met je netwerk te staan, zorg je dat je LinkedIn-profiel goed en volledig is ingevuld en dat je actief zoekt naar contacten. Zoek eens op de naam van je middelbare school of een bedrijf waar je gewerkt hebt. LinkedIn gaat pas echt werken vanaf zo'n 200 connecties. Vervolgens ga je elke werkdag minimaal 20 minuten aan LinkedIn besteden; beschouw dit als marketing/acquisitie-uren. Het heeft ineens een doel en voelt niet als 'je tijd verlummelen'.

Vind je het daarnaast interessant om nieuwe mensen te leren kennen? Start dan met de inzet van Twitter. Twitter kost elke dag tijd, net zoveel als je zelf wilt. Hoe meer interactie je aangaat, hoe sneller je netwerk je gaat kennen. Met veel inzet van Twitter bouw je veel sociaal kapitaal op en na enkele maanden kan het je ook werk en opdrachten opleveren. Ik haal circa 40 procent van mijn omzet binnen door de inzet van Twitter. En wat nog veel belangrijker is, ik word geïnspireerd en heb veel lol. Ik houd van mijn Twitter-stamkroeg.

Als je gebruik wilt maken van de kracht van grote websites, dan is het ook nodig om je te verdiepen in Facebook. Daar staan inmiddels 500 miljoen profielen wereldwijd op en de groei in Nederland is enorm. Facebook biedt heel veel gratis mogelijkheden om je bedrijf of product te promoten.

Is je doelgroep 'de particulier', onderschat dan ook de kracht van Hyves niet. En werk je locatie gebonden, bijvoorbeeld als horeca-ondernemer? Stort jezelf dan in de wereld van location-based networking. De snelst groeiende is momenteel Foursquare.

En is je doel contact houden met de mensen om je heen, bijvoorbeeld omdat je ziek bent of weinig de deur uit kunt, dan zijn social media de uitvinding van de eeuw. Via de computer sta je voortdurend in contact met mensen die er voor jou toe doen.

Voorbeeld: je doel is kennis opbouwen

Het is nog nooit zo gemakkelijk geweest om informatie te krijgen als tegenwoordig. Maar, waar begin je met zoeken? Stel, je hebt voldoende werk maar je wilt gewoon op de hoogte blijven van wat er in je vak gebeurt:

- Zoek in LinkedIn naar de relevante groepen en sluit je aan.
- Maak RSS-feeds voor de voor jou relevante blogs.
- Begin eventueel zelf met bloggen en nodig mensen uit om te reageren.
- Volg op Twitter de voor jou interessante personen.

Welk doel heb jij?

Stel je doel vast en je zult merken dat social media niet tijdverslindend of tijdverspillend zijn. Nee, je werkt aan je doel, het is echt werk en na een tijdje komen de resultaten vanzelf! Vergeet niet de gouden regel van social media:

Wees authentiek, transparant, eerlijk! Wees jezelf.

TIP Zet het webadres van je LinkedIn-, Twitter- of andere profielen in de handtekening van je e-mail. Op die manier maak je het anderen gemakkelijk om met je te linken.

Welke categorieën social media zijn er?

Online netwerken (social networking)

De meest in het oog springende vorm van social media is het online netwerken. Netwerken via internet is voor velen de basis van social media. Als er geen anderen actief zouden zijn, kun je niet netwerken, niet van elkaar leren, niet van elkaars muziek genieten, niet IRL (in real life) kennismaken. Er zijn vele social networking sites, veelal met andere doelen.

Bekende netwerksites zijn LinkedIn, Facebook en Hyves. In hoofdstuk 2 lees je alles over de verschillende netwerken en hun doelgroepen.

Als een social network rondom een bepaald thema is ontstaan, dan spreek je van een *community*. Een voorbeeld van een community is Ambtenaar 2.0 (www.ambtenaar20.nl). Van dit netwerk kan iedereen lid worden die interesse of ervaring heeft met de combinatie 'overheid en web 2.0'. De initiatiefnemer, ambtenaar Davied van Berlo, hierover:

Er is een fundamentele verandering gaande in de samenleving: in hoe mensen elkaar vinden, kennis en ideeën uitwisselen en samenwerken. Deze verandering heeft een technische aanleiding (internet, web 2.0), maar de gevolgen zijn maatschappelijk. En daarom heeft het ook gevolgen voor het werk en de manier van werken van de overheid: de relatie tussen burger en overheid, de interne organisatie van de overheid en de manier van werken van de ambtenaar.

Drie kenmerken van web 2.0 zijn, volgens de website van Ambtenaar 2.0, cruciaal bij deze verandering:

1 Open: transparant, toegankelijk, uitwisseling;
2 Sociaal: netwerken, samenwerking, verbinden;
3 De mens centraal: empoweren, op maat, verantwoordelijkheid.

Voorbeelden van andere communities zijn:

• Facebook-bedrijfspagina, bijvoorbeeld van de HEMA. Er zijn vier pagina's over de HEMA waar nu (januari 2011) zo'n 6.000 personen fan van zijn. Wereldwijd is dat nog weinig, maar zo'n oer-Hollands bedrijf als de HEMA verzamelt ook in Facebook echte fans. Het unieke aan deze Facebook-pagina's is dat ze lijken te zijn opgericht door fans en niet door het bedrijf zelf. Dit gaat vast niet meer lang duren.

- LinkedIn-groepen, bijvoorbeeld rondom het thema voetbal. Een search in LinkedIn laat zien dat er 98 groepen zijn die het woord 'voetbal' in de omschrijving hebben staan. Op de tweede plaats staat verrassend genoeg de groep gekoppeld aan VVV Venlo, met 758 leden (januari 2011).

Mensen willen zich graag verbinden en online wordt dat zichtbaar gemaakt.

Muziek delen: online audio

De gebruikers plaatsen zelf muziek- of podcastbestanden op een website. Er zit geen redactie achter de website die bepaalt wat belangrijk is. Ja, je kunt ook netwerken op basis van je muzieksmaak.

Blip.fm Een veelgebruikte netwerk-muzieksite is Blip.fm. Via deze site kun je contact maken op basis van je muzieksmaak. Daarnaast kan Blip gekoppeld worden aan Twitter, waardoor je ook muziek kunt delen met je Twitter-netwerk. We blippen wat af!

BLIP.fm

Korte handleiding:
1 Ga naar www.blip.fm
2 Meld je aan als dj, het enige wat je nodig hebt, is een username en e-mailadres
3 TIP Gebruik dezelfde username als bij Twitter
4 Voeg je foto bij
5 Zorg dat je Blip-account gekoppeld wordt aan je Twitter-account
6 Begin met zoeken naar liedjes en begin met blippen!

Het allerhandigste van Blip vind ik dat ik altijd muziek 'bij me' heb. Voor aanvang van workshops of lezingen kan ik mijn playlist even aanzetten en de liedjes blijven komen. En inmiddels is blippen een werkwoord geworden.

Zoek een liedje op, check bij 'preview' of het inderdaad de goede is. En dan klik je op 'BLIP'. Je kunt er tekst aan toevoegen en je liedje wordt naar je Twitter-account verstuurd. Een andere 'sociale' toepassing is een liedje sturen naar een twitteraar die dat net even nodig heeft.

Spotify Sinds mei 2010 is Spotify beschikbaar in Nederland. Spotify is een muziekdienst met acht miljoen liedjes in de data-base. Legaal kun je overal naar luisteren omdat je niet downloadt maar streamt. Bij betaalde abonnementen is het mogelijk om onbeperkt te luisteren of zelfs offline te luisteren.

Het sociale element bij Spotify is dat je kunt luisteren naar de playlists van anderen. Dat scheelt een hoop zoekwerk! Zo luister ik op zaterdagavond ineens naar de iPod-selectie van een Twitter- of Facebookvriendje.

Spotify is gekoppeld aan Facebook. Dat maakt het gemakkelijk inzetbaar. De vrienden die je in Facebook hebt zijn ook je vrienden bij Spotify. Je beslist zelf of je playlist *public* wordt. Met andere woorden: je kiest er zelf voor om je muziekkeuze te delen. Op mijn vraag 'wie luistert er wel eens naar playlists van anderen op Spotify?' kreeg ik in vier minuten tijd de volgende antwoorden (onderaan beginnen met lezen):

elskamp @JeanetBathoorn Browse regelmatig door de playlists van anderen, ideale manier om nieuwe muziek te ontdekken! #spotify
half a minute ago via Twitstat Mobile in reply to JeanetBathoorn

 Brasi_Leo @JeanetBathoorn Alleen merk ik wel dat je een aantal bakens moet hebben, bij mij bijv. Leo Blokhuis, M Dijkshoorn, Ilja Edwards, Carice vH..
1 minute ago via TweetDeck in reply to JeanetBathoorn

 Brasi_Leo @JeanetBathoorn Dus voor mij is het geweldig. Ik leer daarmee nieuwe bands en invloeden kennen, en veel sneller dan solo. Alleen vervolg
2 minutes ago via TweetDeck in reply to JeanetBathoorn

 jaspio @JeanetBathoorn Ik vind het leuk: heb nieuwe muziek ontdekt dankzij FB "vrinden"
2 minutes ago via Digsby in reply to JeanetBathoorn

 CoenWiers @JeanetBathoorn Jup. Maak er meestal gebruik van als ik even iets anders wil horen.
3 minutes ago via TweetDeck in reply to JeanetBathoorn

 Brasi_Leo @JeanetBathoorn Ja, ik, maar ook via Blip.fm en Grooveshark.com en binnenkort via mspot.com Ben gek op muziek dus (vervolg)
3 minutes ago via TweetDeck in reply to JeanetBathoorn

Location-based networking

Een belangrijke ontwikkeling van het eerste halfjaar van 2010 is de enorme opkomst van het locatie gebaseerd netwerken met sites zoals Foursquare, Feest.je en Gowalla. Het ziet ernaar uit dat Foursquare snel aan populariteit wint. Uit een artikel van *Techcrunch* (juli 2010) blijkt dat Foursquare vijf keer groter is dan Gowalla en tien keer zo veel gebruikers per dag toevoegt. Het aantal gebruikers bij Foursquare is in juli 2010 ruim 1,9 miljoen, bij Gowalla 340.000. (bron: http://techcrunch.com/ 2010/ 07/07/foursquare-gowalla-stats)

Gezien de grootte van Foursquare en de groeisnelheid focust dit boek op deze netwerksite.

Foursquare Wat is Foursquare precies? Het is location-based social networking en tegelijk een spel. Op het moment dat je op een bepaalde locatie aankomt, ga je via de mobiele telefoon naar Foursquare. Je checkt in bij deze locatie. Je ziet dan ook wie er nog meer aanwezig zijn en je krijgt punten voor het inchecken.

Wil je meedoen? Via internet maak je eerst een account aan op www.foursquare.com. Daar kun je vervolgens nog niet veel mee doen. Je hebt software op je mobiele telefoon nodig om in te checken bij Foursquare. Zo heb ik de iPhone-applicatie gedownload op mijn telefoon. Als ik dan op een locatie kom, zoek ik die locatie op in Foursquare (via de GSM dus) en check ik in.

Ja, en dan? Dan kunnen er vijf dingen gebeuren:

- Je krijgt een boodschap van de locatie waar je bent
- Je krijgt punten voor het inchecken
- Je wordt burgemeester van die locatie
- Je krijgt badges voor je incheckgedrag
- Je Foursquare-update wordt gedeeld via Twitter en/of Facebook.

Wat is het nut?

1 Je vrienden weten waar je bent. Dat is bijzonder handig als je ergens in de stad wilt afspreken
2 Je kunt nieuwe mensen ontmoeten omdat Foursquare laat zien welke andere mensen op dat moment zijn ingecheckt
3 Je kunt profiteren van kortingen.

Actuele voorbeelden in Nederland zijn:

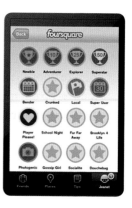

- Minimaal 10 keer inchecken in een Selexyz-boekwinkel en je krijgt een gratis boek
- Als je bij Casablanca Amsterdam (horeca) drie keer incheckt, krijg je een gratis drankje
- Bij Duinlust Dishoek (horeca) krijg je bij de eerste keer inchecken een tweede drankje gratis.

Tussen horeca en Foursquare kunnen prachtige samenwerkingen ontstaan. De horecagelegenheid krijgt gratis reclame, meer aandacht en misschien meer klanten. Foursquare-gebruikers krijgen in ruil daarvoor een gratis drankje. Prima deal toch! Het gebruik in Nederland is nog minimaal te noemen. De mogelijkheden zijn groot en goedkoop. Dit wordt zeker een ontwikkeling in 2011. In de Verenigde Staten zijn al stoffen badges te koop van Foursquare, die je op je tas of jas kunt naaien. Coole gadgets! Een overzicht van de badges staat op http://thekruser.com/foursquare-badges/

Feest.je Midden 2010 is er een Nederlandse tegenhanger van Foursquare actief geworden, feest.je (www.feest.je). Deze oer-Hollandse variant van het location-based networking heeft de ambitie om het Nederlandse uitgaansleven inzichtelijk te maken.

WAT IS FEEST.JE? Met feest.je kunnen mensen hun vrienden laten weten waar ze uithangen.

Dit doen ze door met hun mobiele telefoon in te checken op de plek waar ze op dat moment zijn. Zo zien hun vrienden direct of ze ergens op het terras in de zon zitten, aan het shoppen zijn of in het café aan de bar hangen. Tijdens het inchecken kunnen gebruikers een foto plaatsen en aangeven hoe gezellig het daar op dat moment is. Feest.je stimuleert spontane ontmoetingen tussen vrienden en laat mensen hun stad opnieuw ontdekken.Met feest.je ontstaat een heel nieuwe vorm van sociale interactie. Het verbindt het online met het offline sociale leven van mensen en creëert bijzondere mogelijkheden voor locatiegebaseerde marketing. Elke keer als iemand incheckt, communiceert deze persoon de naam van het restaurant, het bedrijf of de merknaam naar al zijn vrienden. Het is dus belangrijk dat zoveel mogelijk mensen inchecken bij een onderneming om zo extra *exposure* te genereren en de klantenbinding te vergroten. Feest.je biedt diverse mogelijkheden voor bedrijven om in te haken op deze nieuwe vorm van marketing en om directer met klanten te communiceren.

Gebruikers die inchecken worden door feest.je beloond met virtuele medailles. De meest loyale bezoeker van een locatie wordt gekroond tot koning(in) van die *spot*. Een onderneming kan ervoor kiezen om deze loyaliteit extra te belonen door de koning(in) van de onderneming bijvoorbeeld een gratis drankje aan te bieden. Het initiatief is aan de ondernemers! Gebruikers zullen getriggerd worden om een zaak vaker te bezoeken. Daarnaast wordt de *exposure* vergroot op het moment dat ze inchecken, doordat al hun vrienden plus contacten van andere sociale netwerken de bedrijfsnaam zien (bron: website feest.je).

Persoonlijk vind ik location-based networking de trend van 2010 en begin 2011.

INTERVIEW // YURI HENDERIKSE – *WWW.DUINLUST.INFO*

BUSINESSCASE: EETCAFÉ PENSION DUINLUST DISHOEK IN ZEELAND

Waarom zet je, als horeca-ondernemer, Foursquare in? Tijdens een weekendje Maastricht ben ik voor het eerst Foursquare gaan gebruiken; enigszins gedreven door de badges en punten die je kunt halen en wat fanatieke Foursquare-vrienden om me heen, liep ik al inloggend door Maastricht. Toen ik bij de Selexyz-boekhandel had ingecheckt en vervolgens bedankt werd voor mijn bezoek en er gevraagd werd of ik nog een boekentip had, raakte ik nog enthousiaster.

Je komt echt een anonieme en gigantische boekhandel binnen en dat krijgt via deze manier toch een persoonlijke touch. Dat was precies wat ik aan mijn bedrijf wilde toevoegen. Meer binding met je gasten. Tevens leek het me een leuk middel om je zaak mee op de kaart te zetten voor potentieel nieuwe gasten.

Onze zaak, Eetcafé pension Duinlust, ligt dicht tegen het strand aan in Dishoek (Zeeland). 's Zomers ligt het strand vol met jonge mensen en gezinnen die ongetwijfeld een keer gaan eten of drinken. De badgasten gaan dan voornamelijk bij de strandpaviljoenen langs, maar zou het niet mooi zijn als je via een tweet of een *special* in Foursquare de aandacht kunt trekken van de soms wel duizenden strandgangers. Dat is dus mijn doel. De huidige actie geeft je bij de eerste keer inchecken met Foursquare recht op het tweede drankje gratis.

Wat levert het op? Geld, aandacht, meer klanten, andere klanten? Ik ben nu drie maanden bezig en mijn *specials* op Foursquare leveren nu vooralsnog alleen Twitter-aandacht op. Er is hier in de omgeving een select groepje heel erg fanatieke twitteraars en die komen nu vaker langs dan eerst. Alleen merk ik toch dat er hier in de buurt niet erg veel gebruikers zijn van Foursquare. De meeste *venues* (locaties) hebben slechts enkele check-in's en wij zitten na drie maanden na aardig wat tweets nog maar op twintig unieke check-in's. Al merk ik dat het de laatste weken een vlucht neemt, wellicht is dat ook aan het mooie weer te danken.

Het merendeel van onze huidige gasten is 40+ en dat zijn wellicht niet de smartphone gebruikers. Ik probeer via Foursquare en Twitter op een ander, jonger publiek te mikken. Binnenkort is de eerste beachtweetup in Zeeland, fanatieke twitteraars ontmoeten elkaar dan IRL (*in real life*). Duinlust heeft de locatie ter beschikking gesteld. Dat is al de eerste winst.

Heb je tips voor andere ondernemers? Probeer eerst zelf de nieuwe social media uit alvorens je de verkeerde stappen zet met je eigen zaak. Weet waar je aan begint! Wees origineel en schuw niet om zo af en toe eens wat dingen weg te geven. Laat in je zaak zien dat je met Twitter of Foursquare bezig bent. Je kunt leuke stickers downloaden of eventueel de logo's op je menukaart plaatsen.

Reageer proactief op tweets in je omgeving. Heb je een schoenenzaak in Lutjebroek; zoek dan op tweets als 'shoppen', 'schoenen' en 'Lutjebroek', reageer op die tweets, ook al ken je die mensen niet en zorg dat ze bij jou schoenen komen kopen. Speel in op actualiteiten (*trending topics*), die worden namelijk door veel mensen gelezen en daarmee kun je jezelf in de schijnwerper zetten.

Kost het veel tijd? Ik krijg op mijn iPhone tweets binnen die op de voor mij relevante zoektermen gepost worden; als ik tijd heb, reageer ik hierop. Het is iets wat je tussendoor doet. Het opzetten van een Twitter- en Foursquare-account inclusief het maken van een *special* kost hooguit vier uur.

Gebruik je naast Foursquare andere social media-mogelijkheden? Duinlust gebruikt voornamelijk Foursquare en Twitter. Toch zou ik zelf graag wat actiever met Facebook en YouTube bezig willen zijn, al denk ik dat dat laatste wat meer tijd en geld kost als je het goed wilt doen.

Bookmarking: online kennis delen

Bookmarking stelt je in staat om je favoriete websites of artikelen te groeperen en te verzamelen, zonder ze in favorieten of iets dergelijks op te slaan. De site die ik het meest gebruik, is www.delicious.com. Deze site is een bron van informatie op zichzelf, je ziet in één oogopslag wat favoriete artikelen zijn over een bepaald onderwerp of persoon. Ook del.icio.us is te koppelen aan Facebook. Het gebruik in Nederland is nog beperkt. In december 2010 gaan er geruchten dat delicious te koop staat en wellicht zou verdwijnen. Ik verwacht dat het verkocht wordt en in gebruik blijft. Andere bookmarking sites zijn: ■ **del.icio.us**

Internationaal	Nederlandse equivalenten
Digg.com	Ekudos.nl
Netscape.com	Nujij.nl
Technorati.com	Wieblogt.nl
StumbleUpon.com	Linklog.nl
Reddit.com	

Bron: www.traffic-builders.com/tblog/social-media/bookmark-de-top-6-social-bookmarking-sites.html

Online shopping with peers

Online winkelen waarbij de mening van je peers (gelijkgestemden) belangrijk is. *Peer-to-peer recommendation* wordt belangrijker dan Google-ranking. Voorbeelden in Nederland zijn www.managementboek.nl en vele reissites, zoals www.sunweb.nl. Iedereen kan een recensie schrijven en iedereen kan deze lezen.

Nu zoek je nog de websites waar je wilt winkelen zelf op. Over enige tijd is dit niet meer nodig. Dan gaan de aanbiedingen, het nieuws, dat wat je interesseert jou vinden! Dit is niet te verwarren met spammen. Nee, je zult oprecht blij zijn als je iets zoekt en het komt naar je toe! De kreet die daar bij hoort, is bedacht door marketinggoeroe Seth Godin en heet 'permission marketing'.

Events en social media

Tegenwoordig is het mogelijk om te beginnen met netwerken voordat je een congres of evenement bezoekt. Veel websites geven de mogelijkheid om deelnemers te registreren en maken het mogelijk om de deelnemerslijst vooraf te bekijken.

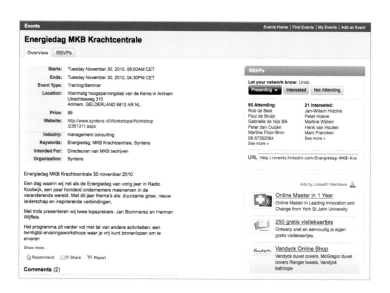

Een mogelijkheid die ik veel gebruik, is het melden van een event/congres/training/workshop op LinkedIn Events. Dit heeft een paar grote voordelen:

- Profielen van de deelnemers zijn meestal erg goed ingevuld
- De olievlekwerking van LinkedIn: als iemand zich als deelnemer aanmeldt, wordt zijn/haar eerstegraads netwerk daarvan op de hoogte gesteld
- Het is gemakkelijk om alvast contact te maken met een voor jou interessante deelnemer.

Meer over LinkedIn kun je lezen in hoofdstuk 4 (pagina 53–71).

Organiseer een event en zet social media in Als je zelf een event wilt organiseren, wat komt er dan qua social media bij kijken? Zoek mensen die je interesse delen en daar graag samen aan willen werken. In 2010 heb ik voor het eerst zelf events georganiseerd. Voor mij is belangrijk om het niet alleen te doen. Zo ben ik goed in het bedenken van een concept, het maken van een line-up. Maar wat is het dan fijn om een team om je heen te verzamelen dat je helpt met:

- Een website
- Logo-ontwerp
- Begroting
- Pr
- Sprekerscontact
- Locatiebespreking
- Enzovoort.

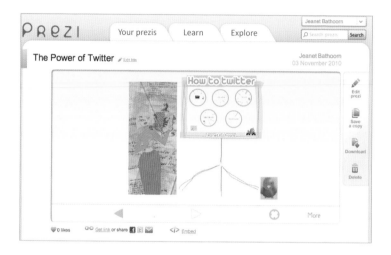

Veel mensen willen meewerken aan je event in ruil voor vrijkaarten en aandacht op de website. Spreek eerst je netwerk aan, voordat je mensen gaat inhuren.

Het eerste event was Het Netwerkevent 2010, in januari 2010. Via social media is het ons gelukt om de zaal vol te krijgen. De inzet van LinkedIn en Twitter bleken cruciaal. Natuurlijk is er ook een eigen website aangemaakt, hebben we op de URL-structuur gelet en elke week voor nieuwe content gezorgd. Dit event wordt jaarlijks herhaald!

Het tweede event: PreZINteren gaat over de innovaties op het gebied van presenteren. Graag deel ik mijn ervaringen met je.

Programma en line-up van sprekers Begin met de samenstelling van een inhoudelijk aansprekend en verrassend programma. Eerst heb ik samenwerking gezocht met een eventmanager en een pr-bureau vanwege de grootschalige aanpak van het event. Na overleg kwamen we tot een mooie line-up van sprekers en een actieve invulling van de middag. Sprekers die je kiest, moeten ook bij je passen. Maak vooraf contact met ze en spreek de zaken goed door. Wat verwacht je van ze, wie zitten er in de zaal, enzovoort. Ken je zelf geen spreker over een bepaald onderwerp, schakel je netwerk in. Zo ben ik aan twee van de drie sprekers gekomen voor dit event.

Wat voor mij essentieel is bij een event, is de mate van (inter) actie van de deelnemers. Zelf houd ik niet van congressen waarbij ik de hele dag moet luisteren. Daarom zal ik altijd kiezen voor sprekers met een goed verhaal die ook de interactie kunnen zoeken. Op de dag zelf moet er ook ruimte zijn voor oefeningen, workshops en actie. *Hands on* dus.

Locatie Tip voor een locatie voor een landelijk event is Seats2meet in Utrecht of Maarssen. Bij Seats2meet huren de klanten geen zalen meer maar stoelen. Via internet boeken ze zelf de benodigde ruimte. Zoveel mogelijk onderdelen van de dienstverlening – beamers, catering – zijn door Seats2meet uitbesteed. De leveringsvoorwaarden zijn flexibel. Van den Hoff, oprichter van Seats2meet: 'We nemen het bezettingsrisico over van de congresorganisator.' De risico's die Seats2meet loopt, worden weer gedeeld met de toeleveranciers. Via intensief gebruik van sociale netwerkdiensten zoals Twitter houdt het bedrijf contact met zijn klanten. Een stuk minder risico voor de boeker en daarmee laagdrempeliger.

Website, event aankondigen en buzz We zijn begonnen met het bouwen van een eigen website in Wordpress, die goed door Google gevonden wordt. De website hebben we gekoppeld aan een webshop: Paydro.net. Paydro verzorgt automatisch de inschrijving, verwerkt betalingen, verstuurt facturen en houdt een lijst van deelnemers bij. Paydro bespaart je erg veel tijd. Verder maak je eventsites aan op Facebook, LinkedIn en Mindz – allemaal gratis. *Spread the word* en ga ook bloggen. Maak een Twitterpagina, met speciaal voor je event een eigen 'hashtag'. In dit geval #prezinteren. Daarmee kunnen anderen jouw tweets makkelijk volgen. Hoe vaker jij en anderen bloggen en twitteren over je event, hoe sneller je in Google boven komt drijven. Google houdt namelijk erg van dynamische content.

Een online persbericht zet je voor €10 op Pressdoc. Je kunt het bericht aanvullen met nieuwe informatie, zoals een filmpje of een prezi (zie pagina 46). Vraag eventueel citaten van autoriteiten op je vakgebied om te gebruiken.

Vraag anderen om hulp. Zo heeft Sam van Buuren voor mij een filmpje gemaakt met YouTube/searchstories. Voor mij een nieuwe mogelijkheid. Dus bedankt netwerk! Meld je event ook aan bij relevante online agenda's, zoals bijvoorbeeld Eventbuzz of Frankwatching.

Oefenen Wil je ervaring opdoen met het organiseren van een event? Word dan lid van Mindz.com en organiseer kosteloos een event. Meestal worden de zaal en catering dan gesponsord door Seats2meet. De voordelen:

- Jij doet ervaring op zonder financieel risico te dragen
- Je deelnemers hebben een goede ervaring
- Seats2meet krijgt de kans te laten zien hoe goed ze zijn.

Social media zijn een geweldig hulpmiddel om tegen bijzonder lage kosten deelnemers te attenderen op jouw event.

Bij het laatste event hebben we geen winst behaald. Ga geen events organiseren als je er rijk van wilt worden, is mijn ervaring. Het kost heel veel tijd, het is veel werk. Daar staat tegenover dat het een enorme boost voor je netwerk en je bekendheid is.

Fora

Een social forum is een website waar je kunt discussiëren, chatten, praten met en vragen stellen aan anderen. Meestal in je eigen interessegebied. Om mee te doen dien je je wel te registreren. Het laatste bericht staat bovenaan, dit houdt het forum actueel. Een groot nadeel van een forum is dat mensen gebruikmaken van *nicknames* (schuilnamen). Dit bevordert de relatie niet. Hierdoor ontstaat ook een cultuur die niet altijd positief en respectvol is. Voor mij is de essentie van social media het contact maken met andere mensen onder je eigen naam en niet onder schuilnamen.

Waardevolle fora bevatten veel informatie, zijn gemakkelijk te doorzoeken, worden gedragen door veel deelnemers en hebben een positieve insteek. Een voorbeeld hiervan is de iPhoneclub (www.iphoneclub.nl/forum).

Ik beschouw de fora als een voorloper van communities. Bij een community is er sprake van herkenbaarheid van de gebruiker doordat een profiel beschikbaar is. Bij een forum volstaat inloggen met *nickname* vaak al.

Tijdschriften hebben ook vaak een fo-
rumfunctie op hun website. Het forum van
de VIVA heeft 16 vaste categorieën waar je
vragen kunt stellen, lezen en beantwoorden. Er staan in juli 2010 bijna 200.000 berichten op, verdeeld over ruim 5.000 onderwerpen. De sociale functie is onont-
koombaar. VIVA heeft er duidelijk werk van

gemaakt, het ziet er aantrekkelijk en kleurrijk uit. Het is fijn dat
je meteen kunt filteren op categorie. Dat scheelt een hoop zoekwerk tussen discussies die voor jou niet interessant zijn.

Het tijdschrift *Autoweek* kent 5 hoofdcategorieën en ook vele
discussies. Daar kom je meteen op het forumgedeelte uit en zie
je in één oogopslag wat een interessante categorie is.

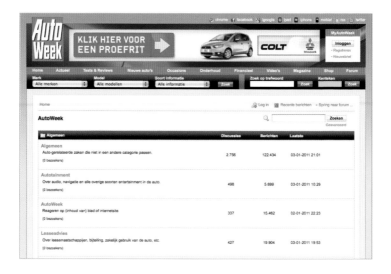

De functie van een forum Als je iets wilt weten over een bepaald onderwerp of je wilt weten wat de ervaringen van andere mensen zijn, zoek dan naar een forum dat interessant is. Je komt hier gelijkgestemden tegen die je misschien in het echte leven moeilijker vindt. Zeker bij gevoelige onderwerpen, zoals bijvoorbeeld over ziektes, is de anonimiteit van een forum prettig. Een voorbeeld hiervan is www.borstkankerforum.nl.

Op de homepage zie je meteen hoeveel mensen er lid zijn en wat er aan informatie beschikbaar is. En als je meteen met iemand wilt chatten, dan hoef je je niet te registreren en kun je een fictieve gebruikersnaam kiezen. In dit geval een heel verstandige keuze die het gebruik zal bevorderen. De mannelijke tegenhanger is bijvoorbeeld: www.prostaat.nl/lotgenoten/default.asp

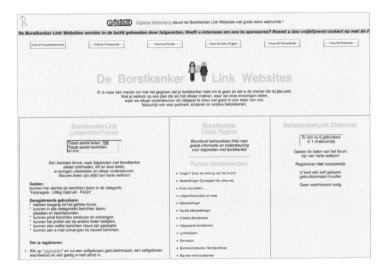

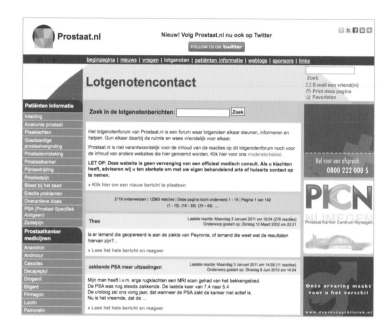

Dit forum wordt overduidelijk gesponsord door derden. Dat is ook duidelijk zichtbaar. Dit hoeft het gebruik van dit forum niet in de weg te staan.

Gaming

Via internet een spelletje doen tegen andere echte mensen. Kan dat? Jazeker. Naast het spel spelen kan er ook overlegd worden, meestal via de chatfunctie. Zo heb ik een tijd fanatiek Kolonisten van Catan gespeeld via het net. Dan kan het gebeuren dat je een potje speelt tegen iemand uit Spanje, IJsland of Litouwen. Net zo gemakkelijk. Een ander zeer bekend voorbeeld is het spelen van World of Warcraft. Een bijzonder verslavend spel waarbij samenwerking belangrijk is. In 2009 had het spel wereldwijd meer dan 11,5 miljoen actieve spelers. (Bron: Deloitte rapport, 2009).

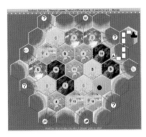

World of Warcraft is een betaalde game. Het is inmiddels een bedrijf dat winst maakt. Na een gratis *trial* van 10 dagen kost een abonnement minimaal 130 euro per jaar. In China spelen mensen betaald World of Warcraft tot de avatar* op een bepaald level zit. Dan wordt de avatar verkocht.

Vergis je niet: kinderen van 7, 8 jaar beginnen al met het spelen van online games. Deze zijn echt niet altijd gewelddadig. Ze kunnen ook een sociale functie vervullen. De bekendste voorbeelden in Nederland zijn Habbo Hotel (www.habbo.nl) of Runescape (www.runescape.com).

Uit eigen onderzoek blijkt dat 17- en 18-jarigen met genoegen 20 euro per maand betalen om mee te doen aan games. Dat is hun *way of life*. Tja, de eerste afkick-klinieken voor online verslaving zijn al geopend.

---

* Avatar = het poppetje waarmee je het spel speelt

Foto's online delen

Het delen van foto's op het net, wie had gedacht dat mensen zo massaal hun foto's openbaar zouden maken? De bekendste

fotosite is Flickr (www.flickr.com). Hier kun je ook foto's vinden die je kunt gebruiken voor je presentaties of website. Dit zijn de zogenaamde foto's met Creative Commons-licentie (gebruik mag, maar met bronvermelding). Als je gaat zoeken, gebruik dan Engelstalige termen. Een andere bekende site om foto's op te zetten is Picasa. De opzet is daar dat je foto's kunt delen met bekenden; minder gericht dus op het delen met onbekenden. Ik gebruik Flickr zakelijk en Picasa privé.

Online video

Is er iemand te vinden die YouTube niet kent? In november 2009 kwam ik in Haarlem de laatste Nederlander tegen die nog

nooit van YouTube had gehoord. Ook zij is inmiddels verslaafd aan de filmpjes. YouTube beschikt over miljoenen video's, geladen door miljoenen mensen. Je vindt hier instructiefilmpjes, muziek, persoonlijke video's en nog veel meer. Dankzij een site als YouTube is zangeres Susan Boyle *overnight* beroemd geworden. Haar liedjes zijn honderdduizenden keren beluisterd via het net. (www. youtube.com/results?search_query=susan+boyle&search_type=&aq=f)

Lee le Fever heeft zijn bedrijf, Commoncraft, via YouTube bekend gemaakt. Hij is de maker van vele instructiefilmpjes over social media, Twitter, LinkedIn, RSS-feeds, social bookmarking.

Ga naar YouTube, zoek op Commoncraft en leer!

Het boek *Solliciteren via LinkedIn* wordt door de auteurs, Aaltje Vincent en Jacco Valkenburg, via YouTube uitgelegd. Het maakt de auteurs benaderbaar en zal de verkoop van het boek waarschijnlijk bevorderen.

Naast het bekijken van video's kun je natuurlijk ook materiaal toevoegen. Aaltje Vincent gaf als voorbeeld een video (www.youtube.com/watch?v=Y2AzUbDLRXs) over het belang van een goed CV. Zij legt in een interview uit wat van belang is. Zij is de deskundige, ze wordt goed geïntroduceerd. Ze komt als de deskundige loopbaanprofessional naar voren. Voor Aaltje Vincent is dat in professioneel opzicht van belang. De kijker geeft ze vele waardevolle tips mee! Win-win dus.

Je kunt je abonneren op YouTube-kanalen van anderen. Zo blijf je op de hoogte.

YouTube is na Google de website waar de meeste zoekopdrachten worden ingetoetst. Dat betekent dat je als ondernemer ook met videomateriaal gevonden kunt worden. Mijn advies: maak een korte en aansprekende video en zet deze op YouTube. Let erop dat je deze video van de juiste trefwoorden voorziet.

YouTube searchstories In minder dan vijf minuten kun jij je eigen filmpje laten maken door YouTube. Waarover? Dat beslis je zelf.

Ga naar www.youtube.com/searchstories en

Vimeo Een andere veelgebruikte videosite is Vimeo. Deze uit de Amerika afkomstige website wordt veel door professionele filmmakers gebruikt. Toch is deze website in Nederland veel minder bekend en kent deze ook een minder hoog *fun*-gehalte.

Weblogs

Een weblog, afgekort een blog, is een website gericht op delen, reageren en discussiëren. En bloggen, het schrijven op internet, is hot! Heb je iets te melden, over welk onderwerp dan ook, schrijf erover. Bloggen bevestigt je expertstatus. Kenmerken van een blog zijn:

- Er is een mogelijkheid tot reageren (comments)
- Je kunt een artikel snel doorsturen naar je eigen netwerk
- Vaak is er een RSS-feed mogelijkheid
- Blog software is al geoptimaliseerd voor zoekmachines, je site wordt beter gevonden!

Wil je snel en eenvoudig starten ga naar http://wordpress.com en je kunt gratis een blog starten. Mocht je later besluit een eigen domeinnaam te claimen, dan kun je de inhoud van je blog laten importeren in de nieuwe website, als je die laat draaien via Wordpress.

Als je gaat bloggen, wees dan ook bereid om de dialoog met je lezers aan te gaan. Er zullen reacties komen op de artikelen die je schrijft en niet iedereen zal het met je eens zijn. Een uitstekend artikel over de kracht van bloggen staat op http://netters.nl/kracht-van-bloggen.

Wikipedia en Wiki's

Een Wiki is per definitie sociaal. De site wordt gevuld door mensen, de redactie is niet leidend. Wiki is een woord uit Hawaï en betekent: snel. Wikipedia is een bron waar je snel informatie kunt

vinden en wordt als behoorlijk betrouwbaar gezien. Immers, als de informatie niet klopt, wordt deze aangevuld en verbeterd door anderen. Wikipedia is in vele talen beschikbaar. Wiki's gaan over kennis delen en zijn niet zozeer gericht op het maken van contact.

Naast de overbekende algemene Wikipedia zijn er vele diverse gespecialiseerde Wiki's. Iedereen kan zijn of haar eigen

Wiki beginnen. Dat kan bijvoorbeeld via de website www.wikispaces.com. Voorbeelden van gespecialiseerde Wiki's zijn onder andere:

- De archief Wiki, voor Nederlandse en Vlaamse archivarissen (www.archiefwiki.org/wiki/Hoofdpagina).
- De webwijs Wiki, bedoeld om lezers web 2.0-vaardig te maken (http://webwijs.pbworks.com).
- Boekwiki, gemaakt door Jeroen Clemens, leraar Nederlands, met als doel leerlingen te betrekken bij het vak (http://boekwiki. wikispaces.com).

Delen van presentaties

Slideshare Stel, je hebt een geweldige Powerpoint-presentatie gemaakt over je product of je bedrijf.  Dan is het toch zonde dat die presentatie niet door iedereen te zien is? Via Slideshare kun je presentaties delen met de wereld. De meeste presentaties zullen Powerpoint-presentaties zijn. Het is zeer aan te bevelen om een mooie presentatie te maken van je bedrijf, je werkzaamheden of je cv.

Slideshare wordt door Google goed geïndexeerd. Dat betekent dat als je de goede trefwoorden (tags) gebruikt in je presentatie, je ook goed gevonden wordt door de zoekmachines. Een extra kans om je te profileren.

Stap 1 Maak een goede presentatie, met de goede trefwoorden en voorzien van goed beeldmateriaal en/of filmpjes

Stap 2 Meld je aan via www.slideshare.net en upload je presentatie

Stap 3 Activeer de applicatie Slideshare in je LinkedIn-profiel. Op deze manier is je presentatie ook via LinkedIn te bekijken.

Prezi Een ander fantastisch presentatiemedium is www.prezi.com. Via Prezi kun je op een heel andere manier dan met Powerpoint, presentaties maken. Prezi is  visueel prachtig ingericht, werkt niet sequentieel en structureert je werk als je aan het werk gaat met Prezi. Het lijkt op werken met mindmap-technieken. Je werkt vanuit één leeg canvas, te vergelijken met een A4, en van daaruit bouw je je presentatie op.

Werk je met een gratis account van Prezi, dan worden je presentaties publiek opgeslagen. Dat betekent dat iedereen deze kan inzien. Om dit in je voordeel om te buigen, zorg je ervoor dat de goede *title* en *tags* aan je presentatie hangen.

- Wil je de presentaties niet openbaar maken, dan heb je een betaalde account nodig. Bij gevoelige informatie is dit zeer aan te raden.
- En is je prezi af? Download deze op een USB-stick voordat je gaat presenteren. Dit is een gratis functionaliteit.
- Wil je ook offline kunnen werken met Prezi? Schaf dan de Prezi desktop aan. Na een gratis *trial* van 1 maand is dat een betaalde functionaliteit.

Prezi was voor mij een geweldige ontdekking in 2009. In 2010 zag ik Prezi verder doorbreken. En wat nog belangrijker is, het gebruik van Prezi wakkert de discussie over succesvol spreken

47

in het openbaar aan. 'Death by Powerpoint' zoals de Amerikanen dat noemen, kan worden vermeden.

De 2.0-mogelijkheden van Prezi zijn groot:

- Via prezi.com een compliment geven aan de maker of opmerkingen bij een prezi plaatsen
- Een prezi samen maken. De eigenaar kan anderen toestemming geven om mee te werken aan de prezi
- Via Prezi Meeting kan er tegelijkertijd aan een prezi gewerkt worden
- Via de mail versturen (*share*)
- De link van je prezi koppelen aan andere netwerksites, bijvoobeeld LinkedIn
- Een prezi hergebruiken (*reuse this prezi*); dat betekent dat je gebruik mag maken van vele prezi's die al bestaan. De teksten kun je naar eigen inzicht weer aanpassen
- Een prezi embedden: via de HTML-code op een website plaatsen waardoor je prezi op andere plaatsen ook zichtbaar is.

Een prezi is niet alleen te gebruiken voor presentaties maar ook in te zetten voor:

- Extra visuele informatie op je website
- Een anders vormgegeven CV
- Het maken en presenteren van een pitch
- Het maken en versturen van een offerte.

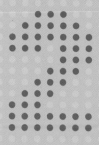

Een overzicht van online netwerken

Wat is online netwerken?

Veel mensen vragen me:

1 **Moet ik meedoen?**
2 **Waarom dan wel?**
3 **Wat heb je er nou aan?**
4 **Is het niet eng?**
5 **Hoeveel tijd kost me dat?**

Je hoeft zeker NIET mee te doen. Vraag jezelf eerst af wat je doel gaat zijn bij het online netwerken. Je bent ondernemer, hebt een bedrijf, hebt expertise genoeg. Of je droomt van die ene baan. En je wilt niets liever dan de goede opdrachtgevers of werkgevers vinden, of nog liever dat ze jou vinden! En bedenk ook, er zijn meer social media dan een mens aankan.

In hoofdstuk 1 heb je uitgebreid kunnen lezen wat social media inhoudt. Mijn definitie van social media is:

'Contact maken, houden en verstevigen
met andere mensen via internet.'

Social networking is netwerken via internet. Veel websites faciliteren dit. De belangrijkste verschijningsvorm van social media is het online netwerken.

Je strategie bepalen

- -

'Kat,' vroeg Alice, 'wil je mij alsjeblieft vertellen welke kant ik op moet vanaf hier?' 'Dat ligt er voornamelijk aan waar jij naartoe wilt,' zei de kat. 'Dat kan me niet schelen,' zei Alice. 'Dan doet het er niet toe welke kant je op gaat,' zei de kat. (Uit: Alice in Wonderland)

- Wat zoek je?
- Door wie moet je gevonden worden?
- Wat zijn jouw tags?
- Hoeveel tijd wil je besteden?

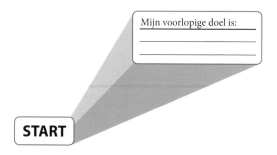

Mijn voorlopige doel is: _____

START

Bij veel intensieve gebruikers van social media heerst de opvatting dat een social media-strategie niet nodig is, of zelfs vloeken in de kerk is. Ik denk daar anders over. Er zijn zoveel social media-websites dat je een dagtaak kunt hebben aan het bezig zijn met je netwerk. Keuzes maken is hierbij erg belangrijk. Om goed gebruik te maken van social media is het goed om te bedenken of die bepaalde website je doel ondersteunt.

Social media zijn geen hobby

'Daar heb ik toch geen tijd voor, ik heb het nu al zo druk,' is de meest gehoorde tegenwerping van mensen/ondernemers als het gaat over de inzet van social media. Tijd is vaak het excuus om niet online te netwerken. De onderliggende reden is mijns inziens veelal het gebrek aan het goed doelen stellen en focus, of koudwatervrees. Dus als je social media wilt inzetten, begin je met het bepalen van je doel.

Momenteel zijn in Nederland LinkedIn en Twitter de belangrijkste bronnen voor online netwerken. Vanaf april 2010 is Facebook aan een grote opmars begonnen.

November 2005. Op dat moment werk ik als freelance recruiter/werving en selectie consultant. In dat kader voer ik veel gesprekken met kandidaten en netwerkcontacten. Het is tijdens zo'n gesprek dat ik attent word gemaakt op het bestaan van LinkedIn. Hub. van den Bergh vertelt me enthousiast over LinkedIn en zegt dat het helemaal wat voor mij is. Ik noteer op een briefje 'linkedin.

com even uitzoeken? Nou, dat even uitzoeken duurt nu al jaren. Ik vond het geweldig! Toen ik me aanmeldde, stonden er zo'n 500 Nederlanders op. Als je dan een Nederlander tegen kwam, maakte je contact. Zoiets als in de jaren vijftig in Italië rijden en toeteren als je een landgenoot zag. Het was een zeldzaamheid. Tegenwoordig staan er 2 miljoen Nederlanders op, daar kun je niet tegen op toeteren.

In de jaren die volgden, breidde mijn LinkedIn-netwerk zich gestaag uit. Ik heb altijd de discipline gehad om mensen die ik tegenkwam, bijvoorbeeld bij netwerkbijeenkomsten, meteen uit te nodigen om te linken. Inmiddels ben ik niet meer verbaasd als twee jaar na dato iemand ineens de uitnodiging accepteert. Die persoon begint dan ook ineens de kracht van LinkedIn te ontdekken.

In mijn vak als recruiter kwam LinkedIn steeds meer van pas. LinkedIn is te beschouwen als één grote database van prachtige personen. Recruitment via LinkedIn is nu *mainstream* geworden en getalenteerde mensen hebben helemaal geen zin in al die mail van al die recruiters. Het persoonlijke contact is nog steeds heel belangrijk. Het blijft netwerken met mensen. Toch is de allergrootste kracht van LinkedIn dat het inzichtelijk maakt wie jouw netwerkt kent en met wie je relatief gemakkelijk in contact kunt komen.

In 2007 begon ik al met het geven van LinkedIn-workshops, met name aan mijn eigen netwerken. Gewoon, voor de lol. Trainen vond ik altijd al heel leuk en in de loop van de jaren kon ik mijn kennis over online netwerken en trainen gaan combineren. En nu, in 2010, heb ik er een dagtaak aan. Heerlijk! Stel je voor dat iemand in 1979 aan mij had gevraagd: 'Wat wil je later worden?' En ik geantwoord zou hebben: 'LinkedIn-trainer.' Tja, het internet bestond amper, dat was complete Star Wars-informatie.

LinkedIn is volwassener geworden, netwerken via internet is steeds meer geaccepteerd. De rol van LinkedIn is hierin belangrijk geweest. Door de sterk zakelijke uitstraling heeft LinkedIn een publiek getrokken dat voorheen niet zo actief op internet was en zeker niet geneigd was om te gaan netwerken met bijvoorbeeld Hyves.

WEETJE Je kunt in de URL van LinkedIn zien als hoeveelste je je hebt aangemeld. Mijn URL is: www.linkedin.com/profile/edit?id=4051763. Id= het nummer van aanmelding.

Dat betekent dat er ruim 4 miljoen aanmelders voor mij waren, en zo'n 56 miljoen na mij. Ik was niet de eerste, maar wel een heel fanatieke.

Wat is LinkedIn?

LinkedIn is een zakelijke netwerksite, de meest formele netwerksite van dit moment. LinkedIn is in enkele jaren tijd zeer populair geworden. Ook in Nederland is LinkedIn erg populair. Inmiddels hebben ruim 1,9 miljoen Nederlanders hun profiel ingevuld. Wereldwijd heeft LinkedIn ruim 70 miljoen leden in 200 landen. Nederland levert bijna 3 procent van de profielen. Dat is in verhouding erg veel voor zo'n klein landje. De top 5 van landen met de meeste geregistreerde gebruikers ziet er als volgt uit:

1	USA	32 miljoen
2	India	6 miljoen(nagenoeg)
3	UK	4 miljoen (afgerond)
4	Canada	2,4 miljoen
5	Nederland	2,0 miljoen
6	Australië	1,3 miljoen

Bron: www.globalrecruitingroundtable.com/2010/05/05/everything-you-wanted-to-know-about-Linkedin-statistics-and-trends-2010

Getallen zijn afgerond en bedoeld als illustratie om aan te tonen dat Nederland een groot LinkedIn gebruikersaantal kent. Het man/vrouwgebruik van LinkedIn is nagenoeg gelijk, mannen 51 procent en vrouwen 49 procent.

Het doel van LinkedIn

LinkedIn is ontworpen om op een effectieve manier contact met je netwerk te onderhouden. De ondertitel van LinkedIn luidt dan ook: 'Relationships Matter'. De LinkedIn-filosofie gaat uit van een professioneel netwerk van mensen die jij vertrouwt en mensen die jou vertrouwen, zodanig dat je elkaar zou kunnen aanbevelen bij andere connecties.

Inmiddels heeft LinkedIn een vaste plek gekregen in het zakenleven. 'Sta je op LinkedIn?' is een veelgehoorde vraag tijdens netwerkborrels. Steeds meer mensen vermelden hun LinkedIn-profiel in de e-mailhandtekening of zetten deze op hun visitekaartje.

Je profiel op LinkedIn: 12 gouden tips

Wanneer je met LinkedIn begint, is het belangrijk om een duidelijk en zo volledig mogelijk profiel te maken, zodat je op de goede trefwoorden wordt gevonden in LinkedIn en in Google. Daarnaast zorgt een goed ingevuld profiel voor de juiste eerste indruk en weten mensen ook wat je te bieden hebt. De trefwoorden bepaal je natuurlijk zelf, op welke woorden wil je gevonden worden?

Als je internationale connecties hebt of wilt hebben, is het aan te raden om je profiel zowel in het Engels als in het Nederlands te maken. Werk je uitsluitend voor de Nederlandse markt, kies dan voor een volledig Nederlandstalig profiel. Vul je profiel *helemaal* in en schrijf je werkervaring en dergelijke uit. Dit kost je gemiddeld vier dagdelen, neem die tijd ook.

– DE PROFIELTIPS –

1 **Professional Headline – je eerste indruk**   Je begint met je *Professional Headline*. Ik adviseer om bij de *Professional Headline* trefwoorden over je beroep en expertise neer te zetten. Trefwoorden worden makkelijk gevonden in Google en in LinkedIn zelf. Slogans worden minder goed gevonden omdat ze minder trefwoorden bevatten. Het voordeel van een slogan is dat de zoeker in één keer weet wat jij biedt. Maak duidelijk waar jij voor staat. Vermijd het woord *owner*! Daar zal niemand op zoeken.

PAS OP   LinkedIn vraagt je niet om deze *Headline* in te vullen maar je MOET het wel doen. Deze blauwdruk is zeer belangrijk.

2 Foto – maak het aantrekkelijk Zorg voor een duidelijke, nette portretfoto. Zo kom je betrouwbaar over. Profielen met foto worden 40 procent vaker bekeken. Valkuilen bij de foto: zonnebrillen, skiliften, kinderen, honden, zeilboten, te ver weg, kiekje, onscherp. Investeer één keer in een goede foto!

3 Status update – informeer je netwerk Bij *Post an update* schrijf je waar je nu mee bezig bent. LinkedIn noemt dit de *Status Update*. Iedere keer dat je dit ververst, komt dit bericht op de homepage van je netwerkcontacten te staan. Zo blijf je bij hen *in the picture*. Je kunt hier ook een vraag stellen. Mensen gaan hierop reageren. Je kunt je bericht aanvullen met een website. Kopieer de URL die je wilt toevoegen en kies dan *attach*. Je bericht wordt voorzien van een website waar meer informatie staat.

WEES CONCREET Hoe specifieker, hoe beter. De ervaring leert dat minimaal één per week de status update ververst dient te worden om maximaal contact met je netwerk te houden. Heb je meer te melden of te vragen, dan kun je dat gerust twee tot drie maal per week doen. Schrijf je update in de derde persoon enkelvoud. LinkedIn plaatst je naam er al voor.

4 Werkervaring en opleiding LinkedIn is meer dan je cv. Een bezoeker ziet de eerste drie ervaringen die jij invult en kan onder *see more* meer van je arbeidsverleden en opleidingen bekijken. Ook hier geldt: wees concreet en compleet. Termen die je hier invult, kunnen zoektermen zijn voor anderen. Bijvoorbeeld scholen, werkgevers, taken en functies. Vermeld bijvoorbeeld ook een afstudeerrichting. Vermeld ook je droomklussen of de baan die je ambieert. Die geven aan wat jij graag wilt. Zoek je een baan als communitymanager maar ben je dat nog niet of nog niet geweest, zorg er dan voor dat het trefwoord WEL in je profiel staat. Anders zul je nooit gehunt worden voor de functie die je ambieert.

Bij *Current* vul je je huidige functietitel in, ook hier trefwoorden waarop je gevonden kunt worden. Vul de *description* in.

Bij *Past* en *Education* vul je je werkervaring, opleidingen en cursussen zo volledig mogelijk in. Mensen uit jouw verleden kunnen je zo makkelijk terugvinden.

5 *Recommendations* – **Profile completeness** Om je profiel tot 100 procent ingevuld te krijgen is het belangrijk dat je alle verplichte velden zelf invult. Als je dat gedaan hebt, kom je niet verder dan 85 procent. Om je profiel 100 procent compleet krijgen, heb je nog minimaal drie aanbevelingen (*recommendations*) nodig. Nederlanders vinden dit een lastig onderdeel. Wij zijn het ook niet zo gewend om complimenten uit te delen of te ontvangen. Krijg je nu een compliment per mail, vraag dan aan de ander of die het compliment per LinkedIn wil geven. Lukt altijd!

Geef zelf *recommendations*! Het is een goede manier om anderen complimenten te geven en zichtbaar te worden in een relevant ander netwerk. Je doet de ander er ook een groot plezier mee.

Je kunt een *recommendation* krijgen van of geven aan een eerstegraads connectie.

Het is voor LinkedIn belangrijk dat je profiel 100 procent is ingevuld. Volledige profielen krijgen voorrang in zoekopdrachten. LinkedIn beloont je op die manier voor het verder vervolmaken van je profiel. Overigens ben jij de enige die kan zien voor hoeveel procent je profiel gevuld is.

6 *Contacts*: **netwerk, met wie connect je?** Als je hoog wilt eindigen in zoekopdrachten in LinkedIn, ben je afhankelijk van de relatie die je hebt met de zoeker. Als je zelf gaat zoeken, zul je zien dat de eerste zoekresultaten alleen maar eerstegraads en tweedegraads connecties zijn. Het is dus van cruciaal belang om zoveel mogelijk tweedegraads connecties te hebben om überhaupt gevonden te worden in LinkedIn. En voor de tweedegraad heb je de eerstegraads connecties als verbindende schakel nodig.

'Ik voeg alleen maar mensen toe die ik goed ken,' een veelgehoord argument tijdens LinkedIn-trainingen. Mijn antwoord is dan: 'Die staan toch al in je adresboek, daar heb je LinkedIn niet voor nodig.' De strategie om je netwerk uit te breiden is, mijns inziens, je juist te verbinden met zogenaamde zwakke schakels. Mensen die je nu nog niet zo goed kent. Zorg dat er voldoende diversiteit in je netwerk zit. Voor mij betekent het dat ik verbinding zoek met mensen die ik tegenkom bij congressen, bij presentaties of andere zakelijke ontmoetingen. Als ik een visitekaartje van iemand krijg, zal ik diegene altijd in LinkedIn opzoeken en uitnodigen om te verbinden.

In het uitklapmenu bij *Contacts* vind je je eigen *Network Statistics*. Dat is een overzicht van je bestaande contacten, onderverdeeld naar eerste-, tweede- en derdegraads contacten. Hier zie je al je potentiële ambassadeurs. Interessant zijn de tweedegraders. Dat is een grote groep waar je slechts één stap vandaan bent. Om LinkedIn echt voor je te laten werken heb je minimaal 200 tot 300 connecties nodig.

Er zijn drie manieren om mensen toe te voegen aan je netwerk.
1 Via *People Search* een naam invullen. Haal die standaard Engelse uitnodiging weg, die is erg onpersoonlijk. Vervolgens typ je een op maat geschreven uitnodiging
2 Geef LinkedIn toestemming om jouw privémail te doorlopen, zeer effectief
3 Handmatig e-mailadressen invoeren.

Als je veel contacten hebt, is het handig ze te *taggen* (trefwoorden toevoegen aan je contactpersoon). Het vergt wat werk maar het is reuze handig. Onder de knop *Manage* kun je zelf *tags* creëren.

7 **Websites** Vaak staat daar standaard *Personal website* of *Company website*; dit zegt de ander niets. Deze standaardtekst van LinkedIn sloop je eruit en je plaatst daar je eigen websites. Gebruik de optie *Other* en maak gebruik van het vrije tekstveld. Heb je geen eigen website, plaats dan websites waar je je verbonden mee voelt. Dan laat je iets van jezelf zien. Hiermee maak je je profiel een stuk persoonlijker en aantrekkelijker. Bovendien onderscheid je je.

8 Je eigen LinkedIn-URL Om beter op je naam gevonden te worden door zoekmachines kun je het beste je URL aanpassen. Gebruik hiervoor je eigen naam. Klik op *Edit* achter *Public Profile*. In het witte vak dat je kunt invullen, vul je vervolgens je eigen naam in.

9 Summary Zet bij *Summary* geen samenvatting, maar zet neer wat jouw specialisme is met extra informatie over wat je mensen te bieden hebt. Welk probleem kun jij voor de zoeker oplossen? Schrijf hier naar je droomklant, droomopdracht of droombaan toe. Probeer door de ogen van je (potentiële) klanten te kijken. Welke oplossingen kun jij bieden? Veel ondernemers vinden dit lastig: iedereen is toch een potentiële klant? Met een goed gekozen *summary* tekst dwing je zelf af wie jou gaat bellen.

ADVIES Focus! Houd het beperkt en specifiek. Vertel de zoeker ook iets over je drijfveren, je passie, je enthousiasme, je keuzes.

10 Specialties Hier kun je de trefwoorden herhalen uit je *Professional Headline* en verdieping geven van een terrein waar jij heel goed in bent. Hier kun je vakjargon gebruiken.

11 Extra informatie Bij *Additional information* zet je hobby's en leuke ijsbrekers voor bezoekers.

Bij *Personal information* zet je in ieder geval je telefoonnummer als je gevonden of benaderd wilt worden. Je verjaardag invullen is leuk, je verjaardag zal digitaal gevierd gaan worden.

Bij *Contact settings* vertel je kort waar mensen jou voor kunnen bellen. Dit doe je in het vrije tekstveld. Maak het zo duidelijk mogelijk voor de ander.

12 *Applications* Bij de knop *More* kun je *applications* toevoegen aan je profiel.

Een zeer nuttige *application* is Slideshare (diashow). Op deze manier deel je een presentatie met je LinkedIn-connecties en in principe met de hele wereld. Slideshare is een aparte website en wordt ook weer apart door Google geïndexeerd. Met Slideshare kun je PDF-jes en Powerpoint-presentaties laten zien. Dus ook publicaties. Maak een goede presentatie over jezelf en zorg dat er goede trefwoorden in staan zodat je makkelijk wordt gevonden.

Een andere effectieve applicatie is WordPress of Bloglink, deze applicatie publiceert de eerste regels van je blog.

De applicatie Google Presentation: hier kun je een filmpje plaatsen waarin je jezelf en je expertise laat zien. Dit kan met de YouTube embed-functie. Je kunt de lay-out of kleur van je LinkedIn-profiel helaas niet veranderen.

Een van mijn favoriete applicaties is *Events*. Voeg deze altijd toe aan je profiel. Wees gezond nieuwsgierig en kijk welke events je connecties bezoeken, plaats je eigen events en speur in de lijst deelnemers van events die je gaat bezoeken.

Jeanet Bathoorn (you)

Social media training & advies | LinkedIn workshops | Twitter | Facebook | Prezi | Speaker | Author– Get Social | Humour

Nijmegen Area, Netherlands | Professional Training & Coaching

Jeanet Bathoorn heeft vandaag een nieuwe blog geschreven: Facebook versus Linkin. Alle voor– en nadelen op een rijtje

Jeanet Bathoorn » Blog Archive » Facebook versus LinkedIn jeanetbathoorn.nl

6 days ago · Like (5) · Comment (1) · Share · See all activity

Current	• **LinkedIn trainer and speaker at Networking Coach** ▢ • **Trainer | Speaker Online Netwerken / LinkedIn workshops at JeanetBathoorn.nl** ▢ • **Coach | Trainer – Online Netwerken | Social Media at Women's Wednesday** ▢
Past	• Organizer, Prezi expert, Initiator at PreZINteren – the hands on presentation experience • Speaker "How to use LinkedIn for business innovation" at 3rd Healthy Nutritional Bars conference in Cologne • Speaker online networking/social media at Mediaplaza – 'MKB' (Small and medium–sized businesses) 2.1 see all...
Education	• Robert Dilts / IEP • IVCN – NLP Master Advanced • NLP Practitioner and Master Practitioner (IVCN) see all...
Recommendations	41 people have recommended Jeanet
Connections	500+ connections
Websites	• Social Media | Workshops • PreZINteren 2010 – event • Je online identiteit – Prezi
Twitter	JeanetBathoorn
Public Profile	http://nl.linkedin.com/jeanetbathoorn

Wat kan LinkedIn voor jou betekenen?

- Leads genereren
- Spontaan gevonden worden
- Een nieuwe baan
- Nieuwe opdrachten
- Groot netwerk
- Kansen

LinkedIn is 24 uur per dag je *personal assistant*. De kracht van LinkedIn: het krijgen van klanten, nieuwe opdrachten vinden of aangeboden krijgen, het vinden van een nieuwe baan. Je blijft met je hele netwerk in contact als je elke dag tijd en aandacht aan LinkedIn geeft. Om dat contact te onderhouden lees je iedere dag je homepage. Zo blijf je op de hoogte van de veranderingen in je netwerk.

Mijn ervaringen met LinkedIn:

- Ik heb nieuwe mensen leren kennen, eerst digitaal later in het echt, omdat we gemeenschappelijke interesses dan wel hetzelfde werk hebben
- Nieuwe klanten hebben mij gevonden omdat zij op LinkedIn mijn profiel hadden gezien
- Koude acquisitie is gemakkelijker omdat je meer weet over jouw gewenste contactpersoon. Bij intensief gebruik van social media is koude acquisitie helemaal overbodig
- Veel 'oude' contacten zijn terug te vinden op een relatief snelle en simpele manier (bijvoorbeeld zoeken op naam van de school)

- Je kunt mensen met elkaar verbinden via LinkedIn (door het doorsturen van een digitaal profiel)
- Ik houd mijn netwerk snel en vrijblijvend op de hoogte van ontwikkelingen en bezigheden
- Ik zie ook elke dag wat mijn netwerk doet, of ze nieuwe banen hebben of juist hun baan verloren hebben, enzovoort.

Het onderhouden van het netwerk kost ongeveer 15 tot 20 minuten per dag. Je houdt je netwerk warm met een geringe tijdsinvestering. Na enige tijd zul je merken dat je meer contacten hebt en dat je sneller een beroep op anderen kunt doen of dat anderen jou om advies vragen. Hierdoor wordt je status van expert bevestigd.

twitter+L'in geven me n extra antenne tav news.+nieuwe graad vrienden; digitale. +geven zorgt dan je ontvangt is sm ten top

377

CommGres, [+] Wed 23 Dec 14:18
via Direct Message

'VERTALING' Twitter en LinkedIn geven me een extra antenne ten aanzien van nieuws, een nieuwe graad van digitale vrienden, en geven zorgt dat je ontvangt. Dat is social media ten top.

AANRADER Video: waar zet je LinkedIn voor in? LinkedIn in plain English, URL: www.youtube.com/watch?v=IzT3JVUGUzM

Groups – de echte interactie

In de groepen zit wat mij betreft de echte netwerkfunctie. Je mag lid zijn van maximaal vijftig groepen. Om het gevoel van interactie te krijgen zorg je dat je lid bent van minstens tien tot vijftien groepen. Ga actief om met de groepen en maak je zichtbaar. Plaats *comments* en eventueel filmpjes en berichten van internet. Je kunt allerlei vragen en opmerkingen plaatsen. Het is een leuke en eenvoudige manier om op het netvlies te komen bij andere, jou onbekende, LinkedIn-gebruikers. In *My Settings* bepaal je per groep of je dagelijks updates en mail wilt ontvangen.

Je afmelden bij een *Group* gaat gemakkelijk via de *Leave this group*-knop. En bestaat een bepaalde groep nog niet? Begin dan zelf een *Group*. Dat is een boost voor je netwerk. Reken er wel op dat je als *group manager* meer tijd kwijt bent. Hoe actiever de *group manager*, hoe meer interactie in de groep.

Advanced People Search – vinden en gevonden worden

Via de *Advanced People Search* (klein knopje rechtsboven) kun je een filter over de database van LinkedIn leggen. Je kunt op vele manieren het zoeken verfijnen: op branche, functietitel, sleutelwoorden, connectiegraad, regio, enzovoort.

Het is handig om een bepaalde zoekopdracht op te slaan. Dat kan via *Save Search*. Als zich dan een nieuwe persoon aanmeldt die aan jouw zoekcriteria voldoet, krijg je een mail van Linked-In. Dat kan je veel tijd besparen.

Heb je iemand gevonden waar je mee in contact wilt komen, dan kun je via *Get Introduced* of *Add to network* contact maken. Je kunt een bestaand contact vragen om een introductie. Je schrijft een bericht aan de ontvanger en een apart bericht aan je 'tussenpersoon'. Heel transparant dus.

Hoe wil jij LinkedIn gebruiken – Settings

Rechtsboven in LinkedIn zit een klein knopje: *Settings*. Via settings geef je aan hoe jij LinkedIn wilt gebruiken en kun je je voorkeuren instellen. Het is aan te raden om alle knoppen bij *Settings* een keer te onderzoeken. Wat zit precies waar.

Er zijn twee knoppen die belangrijk zijn bij netwerken: onder *Profile views* in *Privacy Settings* kun je kiezen wat andere Linked-In-gebruikers zien als jij hun profiel hebt bezocht: *Someone* of je echte naam of helemaal niets. Wil je echt netwerken, kies dan voor de optie: *Show my name and headline*.

Onder *Emailaddresses* vul je alle e-mailadressen in die je gebruikt. Dit is noodzakelijk om uitnodigingen om te linken naar jouw profiel te leiden. Nog een ervaringstip: gebruik voor je *primary address* een privé e-mailadres. De ervaring leert dat mensen nogal eens van baan wisselen en vergeten hun inlogmailadres bij LinkedIn te veranderen; de mailtjes van LinkedIn blijven dan gestuurd worden naar het zakelijke adres, en daar kun je dan niet meer bij.

Nog wat losse tips:

- Print een PDF uit van je profiel; mocht er ooit iets gebeuren met het systeem, dan heb je, bij wijze van spreken, binnen 10 minuten je profiel weer *up and running.*
- Profielen van eerstegraads contacten kun je *forwarden*
- Als je een tweetalig LinkedIn-profiel wilt, dan moet je beginnen met Engels, dat is een basistaal in LinkedIn. Je volgende profiel kan in elke willekeurige taal. Hoe? *Create your profile in another language.*

Google en LinkedIn

Mijn LinkedIn-profiel staat vaak op nummer 1 als ik mijn naam invoer in Google. Als je dit weet en je realiseert je dat mensen toch vaak op de eerste resultaten in Google klikken, dan is LinkedIn vaak jouw eerste indruk op anderen. *You never get a second chance for a first impression, remember?*

Wil je testen hoe je scoort met je LinkedIn-profiel, doe dat dan eens via Google.

1 Ga naar Google
2 Toets in: site:linkedin.com trefwoord (bijvoorbeeld je vakgebied, je specialiteit, enzovoort)

Google   site:linkedin.com "linkedin expert"   ✕   Zoeken
         Ongeveer 4.460 resultaten (0,13 seconden)   Geavanceerd zoeken

Piet Klein, ondernemer, Incontro (webshop Italiaanse wijnen): 'Hoe hebben social media / online netwerken je leven of je werk veranderd?'
Social media betekenen voor mij LinkedIn en Twitter. In het verleden nam ik deel aan meerdere netwerken, zoals Xing en Ecademy, maar het bijhouden en netwerken op verschillende platforms vroeg te veel tijd. Dus heb ik mij gefocust op LinkedIn.

In het begin was LinkedIn voor mij een persoonsdatabase op internet. Ik kon makkelijk op zoek naar oud-collega's, oud-klasgenoten en uit het oog geraakte vrienden. Wat ideaal was en is, is dat iedereen zijn contactgegevens up-to-date houdt.

In de laatste paar jaar is het aantal deelnemers op LinkedIn in Nederland enorm gegroeid. Dit maakte het netwerk steeds interessanter. Ook de toevoeging van nieuwe functionaliteiten, zoals de groepen, maakte het platform een goed medium om te netwerken.

We (Margriet Baarns en Piet Klein) bedachten in 2009 'Linkediner'. Hierin organiseren we een diner waarbij LinkedIn-er's *in real life* nader kennis kunnen maken. Tijdens dit driegangendiner werd bij iedere gang gewisseld zodat de deelnemers driemaal andere LinkedIn-er's ontmoetten. Tijdens het diner werd onze wijn geschonken zodat alle deelnemers ook kennismaakten met de Italiaanse wijnen van Incontro. Het initiatief sloeg goed aan. We kregen veel media-aandacht.

Over het initiatief: het lijkt erop dat er veel van dit soort initiatieven zijn. Linkediners, Twitterdiner, LinkedIn-koffie, Twitterborrels, Facebook-bijeenkomsten. Ze beginnen vol enthousiasme, trekken ook genoeg bezoekers, toch blijkt het moeilijk om de continuïteit erin te houden. Alles zal afhangen van timing, de juiste initiatiefnemer, geen geldelijk gewin hebben, de vrijblijvendheid om te komen, enzovoort. Een pasklaar recept is er niet. Persoonlijk juich ik alle initiatieven toe om elkaar IRL te ontmoeten. Daar komen waardevolle verbindingen tot stand. Zelf heb ik bezocht:

- Linkediners
- Twitterdiner
- Taarttweetup
- Twitnick
- Twitterborrels
- Twitterfeest van Femke Halsema
- LinkedIn groepsbijeenkomsten
- Vele tweetups, voornamelijk in Utrecht bij Seats2meet.

De ene soort bijeenkomst is niet beter dan de andere. Het hangt er erg vanaf wie je gaat ontmoeten, hoe lang je elkaar kunt spreken en of je vooraf al contact had. Maar als je de kans of de uitnodiging krijgt, ga dan zeker een keer naar een bijeenkomst.

Maart 2008. Op dat moment geef ik internet search-trainingen aan recruiters en consultants van werving- en selectiebureaus. Een toekomstig collega, Gordon Lokenberg, komt kijken of het wat voor hem is om ook die trainingen te gaan verzorgen. Op zijn laptop prijkt een grote sticker met daarop TWITTER. Dat was de eerste keer dat ik erover hoorde. Gordon blijkt tijdens de workshop volop getwitterd te hebben. Na afloop legt hij er iets over uit en thuis check ik wat hij geschreven heeft. Wow, dat voegt een dimensie toe aan een workshop volgen. Ik lees instant feedback over wat hij van de workshop vond. Daarnaast kan ik zien met wie Gordon contact heeft.

Ik maak op 6 maart 2008 een Twitter-account aan, maar heb nog geen idee wat ermee te doen. De stamkroeg* is nog leeg.

Half maart 2008. Ik ben al een tijdje lid van Women on the Web, een vereniging voor vrouwen waar veel kennis wordt gedeeld over werken met het net. Dat kennis delen gaat via zogenaamde maillijsten. Ook daar komt het onderwerp Twitter ter sprake. We besluiten met zo'n twintig vrouwen tegelijk echt met Twitter te gaan beginnen. En dan begint het. Al die vrouwen die ik al van de maillijsten ken, hebben ineens een bestaan erbij. Op de maillijst beperkt zich de dialoog tot puur inhoudelijke onderwerpen. Dat hoeft bij Twitter niet. Zo zie je dat Hilda heel goed is in taalgrapjes, Karin altijd rond 18.00 uur boodschappen moet doen voor het avondeten, Marieke vanuit Amerika contact met ons houdt. De mens achter de ondernemer wordt zichtbaar. En dat is de echte kracht van Twitter.

---

* Twitter is te vergelijken met een stamkroeg. Als je voor het eerst in een gezellig drukke kroeg komt, ken je niemand. Je weet niet met je wie je kunt praten over je favoriete onderwerpen. Stel dat je drie maanden lang elke dag binnenkomt, dan weet je toch exact met het wie het goed toeven is. Met de een praat je over je werk, met de ander over zeilen en weer een ander weet alles van opgroeiende pubers. Zo is het op Twitter ook. Het duurt echt even voordat het leuk en interessant wordt.

Wat is Twitter?

De officiële term voor Twitter is microblogging in 140 tekens. Het uitwisselen van korte berichten met je eigen netwerk. Twitter groeit heel hard (ook internationaal) en kent steeds meer zakelijke gebruikers. Twitter is smeerolie, naast zakelijke berichten wissel je ook sociale berichtjes uit. Mensen leren je kennen en willen je iets gunnen als er een zakelijke deal gesloten kan worden of als zich kansen voordoen. Omdat Twitter een sociaal medium is, moet je het zeker niet alleen maar gebruiken om je business te promoten. De kracht van Twitter is de laagdrempeligheid en het gemak waarmee jij de hele wereld kan volgen en andersom. Volop kansen dus.

Voor een eenvoudige uitleg zie: *Twitter in plain English*: www. commoncraft.com/twitter

De SCABE®-methode van Jeanet

1 **Step Out**
Treed uit de anonimiteit en doe mee

2 **Claim Your Name**
Je twitternaam is vanaf nu je personal brand

3 **Accept the consequences**
Je gaat gevolgd worden door onbekenden, de dialoog kan beginnen

4 **Benefit from the advantages**
Je beslist zelf wat je deelt, je netwerk helpt je graag

5 **Enjoy your own network**
Heb lol, krijg hulp, krijg steun, verwacht inspiratie

De handleiding voor Twitter

1 Aanmelden Je gaat naar www.twitter.com en meldt je aan. Mijn tip: doe dit onder je eigen naam. Twitter gaat om persoonlijk contact en twitteraars willen graag weten wie ze volgt. De kans dat mensen je terugvolgen, is groter als je meer over jezelf vertelt.
Let bij het aanmelden erop dat je drie keer *Next Step* aanklikt. Anders gaat Twitter allemaal automatisch mensen volgen, je e-mailadresboek uitlezen. Daar zit je niet op te wachten.

> **Lee le Fever** 'Twitter is about your life between blogposts and emails. You wouldn't send an email to your friends to tell them you're having coffee, would you?'

2 Je account instellen Voordat je wereldkundig maakt dat je twittert, ga je eerst je profiel invullen en eventueel verfraaien. Daar zijn vele opties voor.

Je vult in elk geval de standaardgegevens in, zoals een website (kan ook je LinkedIn-profiel zijn) en een *Bio*. Vervolgens voeg je een foto toe, in Twitter-termen: je past je avatar aan. Op die manier wordt je account persoonlijk!
Je kunt hier ook je achtergrond aanpassen bij de knop *Design*. Het uploaden van een logo kan ook. Speel hier even mee.
Je kunt een Twitter-achtergrond maken met diverse applicaties: www.twitbacks.com of www.twitrbackgrounds.com.

Tips over hoe je zelf een mooie achtergrond kunt maken, vind je op www.twitip.com/custom-twitter-backgrounds

Deze sites bieden nog veel meer mogelijkheden dan de standaard-designknoppen.

Ja, het is mooier om je achtergrond te personaliseren. Overschat het effect echter niet, heavy twitteraars lezen Twitter via allerlei verschillende Twitter-*clients* en zullen je achtergrond niet zien.

Alle instellingen regel je via de knop *Settings*: rechtsboven op je naam klikken en het uitklapschermpje verschijnt.

3 **Wie ga je volgen?** Twitter is een openbaar medium, in principe kun je iedereen volgen die jij wilt. Als je begint met Twitter, is er waarschijnlijk iemand die je enthousiast heeft gemaakt. Natuurlijk ga je die volgen. Via de knop *Find People* kun je die wel vinden. Let op: als je net bent aangemeld via Twitter, kun je via de knop *Find People* nog niet gevonden worden. Dit duurt vaak een week of drie.

Fanatieke twitteraars hebben op hun eigen site vaak een knop die verwijst naar hun Twitter-account. Op die manier kun je ook interessante mensen gaan volgen.

Maar er is ook een handig hulpmiddel, de Twittergids: www.twittergids.nl. Via deze site kun je op interessegebied of per regio twitteraars vinden. Kijk naar de categorieën waarin jij wilt verschijnen. Zet vervolgens de goede trefwoorden in je profiel. Meld je daarna ook aan bij de Twittergids. Je gaat verschijnen in de Twittergids als je genoeg volgers hebt om in een top 100 te worden opgenomen.

Top 100	ICT	Overheid
top 100	apple	overheid
tip 100	windows	gemeenteraad
top 2010	linux	wethouder
bn'ers	cto	gemeente
	sysadmin	politiek
Nieuwste	ontwikkelaar	pvda, cda, vvd, d66,
	iphone developer	groenlinks, christenunie,
scheiding	android developer	sgp
greetz	java	politie
top 2010	php	
huwelijk	ruby	**Sport**
geboorte	python	
uitvaart	perl	oranje (nieuw!)
product manager	dotnet	sport

Vind je een interessant iemand, klik op *profile* en vervolgens op dat wat er achter *screenname* staat. Je komt dan direct op de Twitterpagina van die persoon en daar klik je op *Follow*. *That's it.* Je zult ervaren dat als je iemand gaat volgen, de kans bestaat dat je teruggevolgd wordt. Het eerste contact kan dan ontstaan.

TIP Check in LinkedIn ook wie van je contacten al twittert. Voeg via *More* de applicatie Tweets toe aan je profiel. Klik vervolgens op *Connections* en je hebt in een oogwenk een lijst van je twitterende connecties. Je kunt deze vanuit LinkedIn gaan volgen.

4 Hoe krijg je volgers? Door duidelijk te maken waarover je twittert. Dat doe je via je *Bio*. En de eerste indruk van je foto, verwijzing naar een website, je naam. Ook kijken mensen naar de tweets die je al geplaatst hebt.

5 Google leest mee of Slotje/*Updates protected* Alle tweets (een bericht in Twitter) worden meegelezen door Google. Wat je twittert, wordt dus openbare en te achterhalen informatie. Het is goed om je dat te realiseren. Je kunt je updates beschermen door middel van een slotje. Dit kun je instellen bij *Settings*. Het voordeel van het slotje is dat je zelf bepaalt wie jou mag volgen. Het nadeel is dat je geen Twitter-widget kunt instellen; een widget is een stukje code, een mini-programmaatje, dat je op andere webpagina's kunt laten zien, in dit geval je berichten van Twitter die je bijvoorbeeld op je eigen site laat verschijnen. Een ander nadeel van een slotje is dat het een reden kan zijn om je niet te volgen. De zoekmachine leest je berichten ook niet.

6 Hoe laat ik updates van Twitter verschijnen in andere sites? Je kunt je berichten laten verschijnen in bijvoorbeeld Hyves, Plaxo of je eigen website. Hiervoor heeft Twitter een widget klaarstaan. Klik op *Add Twitter to your website*. Je krijgt uiteindelijk een HTML-code die je in de gewenste site kunt plakken. Dit werkt alleen als je je eigen updates niet beschermd hebt (geen slotje dus).

7 **Berichten schrijven en berichten beantwoorden** Oké, je bent begonnen en je zit er helemaal klaar voor. Het schrijven van een tweet is simpel. Onder de vraag *What's happening?* vul je je bericht in en klikt op *Tweet*. En daar verschijnt jouw bericht in de tijdlijn. Als je via web werkt (www.twitter.com), is het nodig om te verversen om de nieuwe berichten te lezen. Druk op F5.

Links invoegen Je kunt websites delen in Twitter. Omdat je maar 140 tekens hebt om te schrijven, is het handig om een URL (webadres) te verkorten. Een URL-verkorter is een online mogelijkheid om URL's in te korten. Bekende URL-verkorters zijn www.vl.am of www.bit.ly.

Zie je een bericht van iemand waar je op wilt antwoorden? Ga met de muis naar het bericht, je ziet onderaan onder andere de mogelijkheid een reply te versturen. Twitter maakt automatisch een bericht aan dat begint met @naam. Dat bericht gaat naar diegene die je antwoordt. De ontvanger kan dit lezen, evenals de twitteraars die zowel de zender als de ontvanger volgen.

Er is een verschil tussen 'reply' en 'mention' Een reply begint met de username, bij een mention staat de username ergens in het bericht. Een reply kan worden gelezen als je zowel de zender als de ontvanger volgt. Een mention kun je lezen als je alleen de zender volgt. Dit verschil is belangrijk en je kunt er strategisch gebruik van maken.

Conversaties die via de replyknop worden gevoerd zijn terug te lezen. Dat is een groot voordeel.

8 Wil je een één-op-één boodschap uitwisselen, gebruik dan Direct Message Klik rechts bovenin op *Messages* en dan op *New Message.* Vervolgens kun je bovenin aangeven voor wie het bericht bedoeld is. Je andere volgers lezen dit niet mee. De DM-functie vervangt voor een deel het e-mailverkeer. Handig! DM is de geheime parallelwereld van Twitter.

9 Wat zijn hashtags of #? Je ziet in Twitter veel berichten verschijnen waar een # voor staat. Dit is een hashtag. Waarom worden die gebruikt? Om berichten die over hetzelfde gaan terug te vinden. Begrippen met een # ervoor zijn klikbaar geworden. Hier is ook een applicatie voor ontwikkeld: www.search. twitter.com. Via de site krijg je *real time* een overzicht van wat er op dat moment rondom dat thema getwitterd wordt.

Op die manier kun je berichten die over hetzelfde gaan, snel terugvinden. Tegenwoordig hebben alle congressen een eigen hashtag. Die spreek je vooraf samen af en voeg je toe aan tweets.

BEKENDE HASHTAGS ZIJN:

#FF	Betekent *Follow Friday*. Op vrijdag kun je twitteraars onder de aandacht brengen die jij de moeite waard vindt. Anderen kunnen dan ook die persoon gaan volgen.
#durftevragen	Heb je een vraag waarbij je hulp van je netwerk nodig hebt, voorzie de vraag dan van #durftevragen. Veel mensen volgen die stroom berichten en zullen je helpen als dat in hun vermogen ligt. Kijk voor meer informatie op www.durftevragen.com. Deze hashtag wordt zoveel gebruikt dat de kracht ervan kan afnemen als je het toevoegt aan een niet zo dringende of moeilijke vraag.
#in of #li	De afkorting voor LinkedIn
#fb	Staat voor Facebook
#fail	Als je twittert over iets of een bedrijf dat niet werkt
#omdathetkan	Gewoon iets doen omdat je er zin in hebt en dat delen op Twitter
#024	Aanduiding voor een stad, in dit geval Nijmegen
#020	Amsterdam

10 Wat betekent RT? RT staat voor retweet, het herhalen van het bericht. Soms gebeurt dit omdat het bericht nieuwswaarde heeft, dan wil je je netwerk graag op de hoogte brengen. Een andere keer vind je het gewoon een grappig bericht en wil je het delen. En soms wordt het gevraagd door de berichtschrijver, *please RT* staat er dan.

Een bijzonder krachtig middel om je bericht als een olievlek over Twitter te laten gaan of om anderen te helpen veel aandacht voor hun bericht te krijgen.

TIP Als je vraagt om een RT van je bericht, houd er dan rekening mee dat er nog een twitternaam voor komt. Maak het maximaal aantal tekens niet vol, maar houd ongeveer –20 aan (120 tekens dus).

11 Foto's delen Het is eenvoudig om foto's te delen met je netwerk. Dit kan via www.twitpic.com. Je kunt hier eenvoudig inloggen met je Twitter-accountgegevens. Een andere optie is www.mobypicture.com. Dan kun je foto's verzenden vanaf je GSM en via Twitter de wereld insturen.

Foto's kun je ook een hashtag meegeven. Dan kunnen anderen je foto's ook op die hashtag vinden en bekijken.

Tools voor de gevorderde twitteraar

Twitterclient – **Tweetdeck** Als je de twittersmaak echt te pakken hebt, download dan Tweetdeck.com. Tweetdeck maakt het je mogelijk om je berichten gemakkelijk te filteren. Je mist niets van je favoriete twitteraars, je leest altijd meteen de berichten aan jou gestuurd en je ziet in één oogopslag je DM's.

Andere *clients* zijn bijvoorbeeld: twhirl, twitterfeed, Tweetie, TwitterBerry, twitterrific, HootSuite. Voor een overzicht van het gebruik van *clients*, ga naar http://techcrunch.com/2009/02/19/the-top-21-twitter-clients-according-to-twitstat/

Ping.fm neemt een wat andere plaats in. Met een Ping-account kun je updates van websites of e-mail doorplaatsen naar vele andere websites. Ik ben persoonlijk niet zo'n fan van het zomaar doorplaatsen van berichten naar veel plaatsen tegelijk. Elke website kent zijn eigen omloopsnelheid en ook een eigen doelgroep. Blijf persoonlijk contact houden.

Het doel van een *Twitterclient* is het twitteren te vergemakkelijken: het kent sorteerfuncties, zoekfuncties, monitorfuncties en koppelingen met sites als Facebook en LinkedIn.

Twitterapplicaties Er zijn veel websites die je kunt koppelen aan Twitter. Ze hebben allemaal andere doelen. Hieronder een lijstje van een paar handige tools.

- *www.twitteranalyzer.com* Een handige tool. Je ziet je twittergedrag in cijfers, hoe populair je bent, welke hashtags je het meest gebruikt en zelfs welke woorden. Je kunt ook andere twitternamen invullen
- *www.friendorfollow.com* De basisstatistieken van wie jij volgt en wie je terugvolgen
- *www.tweeplike.me* Hier vind je mensen met dezelfde interesses
- *www.tweetreach.com* Hoe ver reiken je berichten

- *www.useQwitter.com* Je krijgt bericht als mensen je ontvolgen
- *www.refollow.com* Overzichten en zoekfuncties
- *www.tweetbook.in* Maakt gratis een boekwerk in pdf van al je tweets. Let op: het boek bevat maximaal 2000 tweets
- *www.blip.fm* Word een dj en laat zien wat je muzieksmaak is
- *Mentionmap* Coole applicatie die visualiseert hoe je netwerk er op dat moment uitziet (http://apps.asterisq.com/mentionmap).

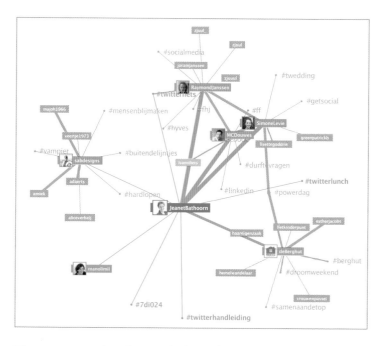

Voor nog meer handige tools, bezoek: www.twitterinfo.nl/handige-sites.

Twitter lists Sinds eind 2009 is het mogelijk om lijsten te maken in Twitter. Leuke optie om twitteraars die voor jou bij een bepaald onderwerp horen, te clusteren. Het voordeel is dat je alle twitteraars van die lijst gemakkelijk kunt volgen en dat je twitteraars met elkaar verbindt.

Nederland is Twittergek

Het aantal Nederlandse Twitter-accounts wordt eind 2010 geschat op 500.000. In vergelijking met sites als Facebook (3 miljoen), LinkedIn (2 miljoen) of Hyves (9 miljoen) is dat natuurlijk een schijntje. Maar de Nederlandse twitteraars zijn wel erg fanatiek in hun Twittergebruik. Zo zijn we zeer regelmatig in staat om in de wereldwijde *Trending Topics* te komen. Een hele prestatie voor zo'n kleine groep.

Veel informatie over het gebruik van Twitter kun je vinden op http://twittermania.nl.

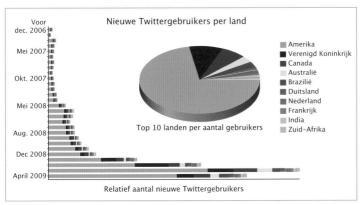

Bron: *www.sysomos.com/insidetwitter*

85

Met 1,28 procent neemt Nederland de 7e plaats in op de wereld-ranglijst. De Verenigde Staten voert de ranglijst aan met 62,14 procent van alle Twitteraars. Dan volgen Groot-Brittannië (7,87 procent), Canada (5,69 procent), Australië (2,80 procent), Brazilië (2,00 procent) en Duitsland (1,51 procent).

In een onderzoek van Sysomos uit 2009 is informatie van 11,5 miljoen Twitter-accounts onderzocht. Enkele cijfers:

- 72,5 procent van alle gebruikers heeft een account aangemaakt in de eerste vijf maanden van 2009
- 85,3 procent van alle Twitter-gebruikers post minder dan een tweet per dag
- 21 procent van de gebruikers heeft nog nooit een tweet gepost
- 93,6 procent heeft minder dan 100 volgers; 92,4 procent volgt minder dan 100 mensen
- 5 procent van de accounts zorgt voor 75 procent van alle activiteit
- Meer dan 50 procent van alle updates wordt verstuurd met applicaties – web en mobiel – en niet via Twitter.com
- Tweetdeck is de populairste applicatie met een marktaandeel van 19,7 procent.

Twittertips uit de praktijk

- Wees persoonlijk
- Ga niet verkopen, anderen doen dat wel voor je
- Claim je expertise, mensen moeten weten waar je goed in bent
- Bouw relaties op
- Geef veel weg en help een ander (kennis of spullen)

- Geef een ander de kans om te schitteren (stel vragen dus)
- Ga naar IRL-bijeenkomsten
- Zoek naar mensen die je kunnen helpen
- Indirect netwerken, geen sales
- Reageer ook op berichten van anderen, zo voelen ze zich ook gehoord. Uiteraard doe je dat wanneer het zinvol is, bijvoorbeeld bij iemands verjaardag of bij een vraag die je kunt beantwoorden, enzovoort.
- Stuur interessante berichten door voor je volgers, bijvoorbeeld over de nieuwste ontwikkelingen op het gebied van Twitter of andere sociale media, of iets uit jouw vakgebied.

16 redenen om jou niet te volgen op Twitter

Als je gaat twitteren of je bent al begonnen, dan is het natuurlijk ook fijn om volgers te hebben. Wie gaat anders je berichten lezen?

En als jij iemand gaat volgen, maak de terugvolgactie dan zo aantrekkelijk mogelijk. Maar: stel dat je graag in je ivoren toren blijft zitten en graag in het luchtledige twittert, volg dan zeker onderstaande tips op!

Wat moet je vooral WEL doen om volgers af te schrikken:

1. Zet een slot op je updates. Dat is de eerste reden om niet terug te volgen. Ik ben niet onvoorwaardelijk welkom, nee, ik moet eerst goedgekeurd worden.
2. Kies een rare nickname, zoals puck8043. Twitter is persoonlijk contact maken, je schrikt mensen af met gekke namen.
3. Zet er vooral geen foto op. Als ik niet zie wie je bent, zul je ook niet snel persoonlijk tweeten.
4. Vul je BIO niet in. Ik heb dan geen idee waar het bij jou over gaat, dus hoef ik je zeker niet te volgen.

5 Verwijs dan ook zeker niet naar je website of je LinkedIn-profiel! Dan zou ik er alsnog achter kunnen komen wie je bent en waar het over gaat.

6 Vul ook zeker je woonplaats niet in. Mensen uit jouw regio zouden je om die reden kunnen gaan volgen.

7 Vul je tijdlijn uitsluitend via feeds of RT's en neem niet de moeite om zelf berichten te schrijven, en reageer nergens op. Scheelt mij ook weer.

8 Zorg ervoor dat er geen balans is tussen het aantal mensen dat jou volgt en dat je zelf volgt. Bijvoorbeeld: volg 500 mensen en wordt gevolgd door 15 of zo.

9 Twitter vooral niet te vaak, je laatste tweet is natuurlijk minstens een maand oud.

10 Wees ook vooral niet grappig!

11 Deel je kennis met niemand en zeker niet op Twitter.

12 Ga vooral nooit naar bijeenkomsten waar je andere twitteraars tegen kunt komen. De kans dat ze je volgen omdat ze je kennen, is dan veel te groot.

13 Wees zeker niet te positief in je berichten, daar zijn twitteraars gek op. Ze zijn allergisch voor cynisme en negativiteit.

14 Help nooit een andere twitteraar, daar zou je te veel positieve pers van kunnen krijgen.

15 Eis van de ander om jou terug te volgen, dat werkt ook heel bevorderend.

16 En als ik je dan toch ga volgen, stuur me dan een geautomatiseerde DM (direct message) waarbij je meteen je product wilt verkopen. Dan haak ik alsnog af.

Veel succes in het ontwijken van die positieve, euforische club Twitterazzi!

Twitter en Google

Ook Twitter kan doorzocht worden met Google:

```
Google™
site:twitter.com bio Linkedin netherlands|          Geavanceerd zoeken
( Google zoeken )
```

Wat cijfers

- 59 procent van de twitteraars wereldwijd is vrouw.
- Aantal leden in Nederland: 170.000 (maart 2010).

Even wat overzichten, voor deze cijfers heb ik www.anneliesje.nl geraadpleegd. Er zijn moeilijk cijfers voor de Nederlandse markt te vinden. Deze cijfers zijn van maart 2010.

Website	Aantal leden	Unieke bezoekers	Gemiddelde leeftijd
Hyves	9.600.000	7.572.000	27
Schoolbank	4.300.000	649.000	45**
Facebook	2.061.380	3.302.000	38*
LinkedIn	1.735.258	2.455.113	44*
MySpace	600.000	704.000	31
Twitter	170.000 (actieve twitteraars)	450.000	39*
19 sites bij elkaar			37*

* Bron: http://royal.pingdom.com/2010/02/16/study-ages-of-social-network-users/
** Gemiddelde leeftijd in USA van site Classmates, aangenomen dat dit in Nederland ongeveer gelijk is.

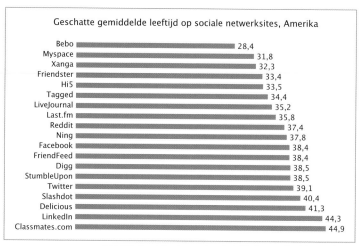

Bron: http://royal.pingdom.com/2010/02/16/study-ages-of-social-network-users

Het maakt in ieder geval duidelijk dat in Nederland Hyves nog steeds een grote positie heeft als het gaat om aantallen profielen. En al die ophef over Twitter, die wordt dus door een kleine populatie veroorzaakt.

De populatie op LinkedIn, nu 2 miljoen Nederlanders, groeit nog steeds.

Uit een recent Twitter-onderzoek (www.contentgirls.nl/twitteronderzoek) in Nederland blijkt dat bijna 40 procent van de twitteraars in de leeftijdscategorie 36–45 jaar valt en dat zo'n 80 procent een HBO- of WO-opleiding heeft. Van de respondenten van dit onderzoek heeft ruim 60 procent zijn Twitter-account gekoppeld aan andere social media-websites. De belangrijkste netwerken waaraan gekoppeld wordt, zijn Facebook, LinkedIn en Hyves.

Exacte cijfers over Nederland blijven lastig te vinden. Mijn doel is inzicht verschaffen in de netwerken en hun doelen, ik beoog niet een wetenschappelijk werk te maken. Dus als je actuele cijfers en inzichten hebt, stuur ze alstublieft via Twitter naar mij. Ik verspreid ze graag verder.

HET VERHAAL VAN DE BEGINNENDE TWITTERAAR

Het is 2007 als ik een uitnodiging krijg om te twitteren. Ik vraag mij echt af wat ik daar nu mee moet, en besluit om er helemaal niets mee te doen. Nu weet ik dat dat een stomme beslissing was. Wat was ik anno 2010 'Twitterwijs' geweest.

Eind 2009, na de workshop Social Media, zie ik het licht. Het is niet alleen leuk om privé te gebruiken, maar ook heel handig voor zakelijk gebruik. En dat maakt dat ik om ben. Natuurlijk gebruik ik Hyves en LinkedIn. Hyves voor de *fun* en deels zakelijk, net zoals LinkedIn. Ik leer die dag dat ik de mogelijkheden van LinkedIn nog niet ten volle benut. En zie na het bekijken van profielen van de 'professionals' het verschil met m'n eigen profiel. Dat pak ik dus op.

Maar goed: ik begin met Twitter. Met de woorden van Jeanet nog in m'n hoofd: 'Vul alles in; ook je online bio.' Pfff. . . daar moet ik nog even over nadenken. Het vinden van interessante mensen om te volgen is eenvoudig. Gelukkig word ik ook gevonden en gevolgd. Dat maakt dat ik doorzet.

En dan begint het: de vele vragen waarover ik m'n hoofdje breek. De een stuurt een tweet vanaf Tweetdeck, de ander vanaf Twitthat. Zo kan ik er nog wel een paar noemen, maar waar het omgaat, is dat ik niet weet waarvandaan ze twitteren. En wanneer gebruik je een #? Of nog beter: wat gebeurt er als je dat gebruikt? Ontvangt een niet-volger de tweet als je @naam gebruikt? Lees je de oude tweets als je een dag niet getwitterd hebt? Ja, toch maar doen. Zul je zien dat ik anders de belangrijkste tip van het jaar mis.

Vervolgens doe ik een poging om de tweets te begrijpen. Een voorbeeldje: iemand begint aan mij tweets te sturen via de sonos. Wat is sonos? Geen idee waar dat over gaat. Waar sla je foto's op? Kan dat alleen als je twittert via een smartphone? Ik voel mij nog zo onwetend. Nog een leuke: wat doe je als iemand je volgt door wie je niet gevolgd wilt worden? Wat zijn de gedragsregels van Twitter? Beginnen met twitteren is als je eerste werkweek bij een nieuwe werkgever. Maar wat is het leuk als je reacties en contact krijgt!

Yammer ∽ Het is ook mogelijk om besloten te twitteren, bijvoorbeeld binnen een bedrijf met meerdere locaties. Nederlandse bedrijven die hier ervaring mee opdoen zijn onder andere Syntens, Océ en Royal Haskoning. Anny Huberts, social media-expert bij Royal Haskoning hierover: 'Het gebruik van Yammer begint te leven. Wil niet zeggen dat we per se Yammer aanhouden. Kan ook iets vergelijkbaars worden op Intranet 2010. We zijn al blij als collega's het gebruik en principe snappen en het nut ervan inzien. Zitten nu midden in dit proces! Leuk! Het is nog wel in de experimentfase.'

Als je als bedrijf Yammer wilt gaan inzetten, is het noodzakelijk dat alle deelnemers een e-mailadres hebben met dezelfde extensie.

facebook.

De trend van begin 2010 is overstappen naar Facebook. Overstappen van Hyves, dan wel te verstaan. Je ziet deze trend vooral bij de 24–34 jarigen. Veel nieuwe aanmelders komen ook uit het zakelijke segment.

In december 2010 heeft Facebook in Nederland circa 3 miljoen leden, met een gemiddelde leeftijd van 38 jaar. Mannen en vrouwen facebooken ongeveer evenveel. (Bron: www.facebakers.com/countries-with-facebook/NL)

Facebook komt uit Amerika, is opgericht door een student en was oorspronkelijk bedoeld als datingsite voor een universiteit.

FOKKE & SUKKE
ZIJN DE AANSLUITING MET DE JEUGD NU ECHT KWIJT

ZEG, JONGEMAN...

ZOU JIJ JE FACEBOOK NIET EENS TERUGBRENGEN NAAR DE BIEB?

In september 2006 werd Facebook opengesteld voor eenieder die zich wilde inschrijven. Sinds mei 2008 is Facebook ook Nederlandstalig in te stellen en sinds 2010 zelfs Friestalig. Het succes van Facebook ligt onder andere in de mate van openheid. Het was een van de eerste virtuele communities die een publieke web-API aanbood. Dit houdt in dat derden gebruik kunnen maken van de data van Facebook in een eigen (web)applicatie, bijvoorbeeld een spel als Farmville of Scrabble. Het aantal Facebook-gebruikers in Nederland groeit snel. Er zijn nu al meer Facebook-gebruikers dan LinkedIn-gebruikers.

Datum	Aantal actieve gebruikers
December 2004	1 miljoen
December 2005	5,5 miljoen
December 2006	12 miljoen
April 2007	20 miljoen
Oktober 2007	50 miljoen
Augustus 2008	100 miljoen
Januari 2009	150 miljoen
Februari 2009	175 miljoen
April 2009	200 miljoen
Juli 2009	250 miljoen
September 2009	300 miljoen
December 2009	350 miljoen
Februari 2010	400 miljoen
September 2010	500 miljoen

Bron: Wikipedia

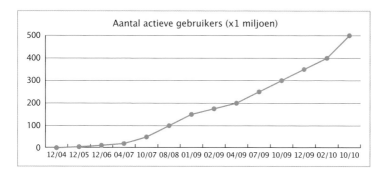

Aantal actieve gebruikers (x1 miljoen)

Internationaal Wereldwijd neemt Facebook een groot deel van het online netwerken voor zijn rekening. In Nederland wordt de rol steeds groter. Toch staan we bij Facebook niet eens in de top 10 van het landenoverzicht, en gezien de aantallen gebruikers gaan we daar als land ook niet in komen.

	Landen	Gebruikers	Groei
1	Verenigde Staten	125 881 220	320 800
2	Verenigd Koninkrijk	26 543 600	−601 420
3	Indonesië	25 912 960	1 190 600
4	Turkije	22 552 540	−4 260
5	Frankrijk	18 942 220	163 500
6	Italië	16 647 260	259 420
7	Canada	15 497 900	−539 740
8	Fillipijnen	14 600 300	842 880
9	Mexico	12 978 440	801 800
10	Spanje	10 612 820	173 820

Bron: www.facebakers.com/blog/38-top-10-countries-on-facebook-in-the-last-six-months

Wat betekent dat voor de Nederlandse markt? Dat is lastig te voorspellen. Zeker is dat Facebook groeit en dat het kan bijdragen aan je zichtbaarheid op internet. Als je internationale contacten bijhoudt of je vindt Hyves niet bij je passen, dan is Facebook een uitstekende keuze. Inmiddels zijn er meer Facebook-profielen in Nederland (3 miljoen) dan LinkedIn-profielen (2 miljoen). Het einde van de groei is nog niet in zicht.

Handleiding in 9 stappen

1 **Aanmelden** Ga naar www.facebook.com
- Vul je persoonlijke gegevens in
- Kies de gewenste taal
- Doorloop de verificatieprocedure (code intoetsen en mail bevestigen)

2 **Account invullen** Ben je aangemeld, dan is het handig om je account in te vullen. Ook hier geldt: je beslist zelf wat je wel en niet invult. Vergeet niet per tabblad de informatie op te slaan.

3 Foto Vergeet vooral niet een goede foto toe te voegen. Dit kun je doen door het gedeelte aan te klikken waar de foto gaat komen. Daarna kies je een foto van je computer om te uploaden.

'Online networking without a photo is like introducing yourself with a bag over your head.'

(Bron onbekend)

4 Check je accountinstellingen Je kunt veel invullen over hoe jij je Facebook wilt gebruiken. Bekijk alle tabbladen en beslis zelf! Bij *Instellingen* zit ook de knop *Account stopzetten* voor het geval je het zat bent.

Een belangrijk onderdeel is waar je meldingen van wilt krijgen. Vul dit zo zorgvuldig mogelijk in. Dit voorkomt dat je te veel mailtjes krijgt. Natuurlijk kun je dit achteraf nog veranderen.

5 Check je privacy-instellingen Je kunt per onderdeel beslissen wie wat mag zien. Belangrijk: bij het onderdeel *Zoeken* beslis je zelf of de zoekmachine je gegevens mag zien. Ook kun je personen blokkeren, als je dat wilt.

Privacy is in 2010 een *major issue* bij Facebook en haar gebruikers. Op 31 mei 2010 is er zelfs een Quit Facebook Day uitgeroepen (www.quitfacebookday.com).

Als je zelf niets instelt, staat standaard alles op openbaar. Wees je daarvan bewust! Een mooi overzicht van de *privacy settings* is te vinden op http://mattmckeon.com/facebook-privacy.

6. **Netwerk uitbreiden** Zoek naar vrienden, kennissen, collega's enzovoort. Dit zal in het begin tijd kosten. Toch bespaart Facebook je veel tijd door met suggesties te komen. De beroemde vrienden van vrienden komen in beeld.

7. **Bedrijfspagina's (voorheen fanpages)** Je kunt fan worden van allerlei 'pages'. Dit zijn pagina's rondom een bepaald onderwerp of product. Zo is er een bedrijfspagina gemaakt van dit boek: www.facebook.com/GetSocial.onlinenetwerkenvoorbeginners.boek. Natuurlijk ben je van harte welkom om je als fan aan te sluiten.

In de volgende paragraaf leer je hoe je zelf een bedrijfspagina aanmaakt.

8. **Foto's** Een belangrijk verschil met LinkedIn is dat Facebook over fotoalbums beschikt. Je kunt per album 60 foto's uploaden, het aantal albums is momenteel nog onbeperkt.

Je kunt foto's uploaden via je *Profiel*, tabblad *Foto's*.

9. **Toepassingen** Net als in LinkedIn kun je in Facebook allerlei applicaties toevoegen aan je profiel. Er zijn er zoveel dat een overzicht lastig te geven is. Belangrijke applicaties zijn Foursquare en Spotify.

DE KRACHT EN MACHT VAN FACEBOOK

Ik heb een marketingachtergrond en werkte de afgelopen jaren bij Land Rover Nederland. Mijn passie ligt bij de online communicatie en marketing. Sinds eind vorig jaar heb ik het roer omgegooid, en bekwaam ik me in dat vakgebied. Dit doe ik door veel te surfen, veel te lezen en mensen uit het vak te volgen. Door aanvullende cursussen te volgen. En ook door in de vorm van een stage bij bureau Eight Media 'hands-on' ervaring in dit specifieke vakgebied op te doen. Bij hen heb ik bijvoorbeeld het merk 'Otazu' en 'Soocial' in de social media op de kaart gezet, met onder andere een Facebook Bedrijfspagina. Ik ben sinds vandaag ook verantwoordelijk geworden voor de Facebook bedrijfspagina van Social Media Club Utrecht. Mijn eigen Facebook-bedrijfspagina (voor het uitproberen van bedrijfspagina applications) heeft nu ruim 300 fans.

Gister ontving ik een leuke tweet over Facebook. De tekst luidde: 'Facebook is veel beter dan een blog.' Ik ben lid van de Social Media Club Utrecht en als antwoord op mijn vraag of we ook een Facebook Bedrijfspagina moesten maken kwam het antwoord: 'We zitten toch al op Mindz?' Dat zette mij aan het denken over Facebook.

Ik ben al een paar jaar lid van Facebook en zie het succes van ervan. 400 Miljoen mensen hebben een Facebook-account. Dat heeft een reden. Je wordt geen lid van een site waar je niets aan hebt. Facebook is ooit bedacht als site voor studenten aan de Harvard Universiteit in de USA door oprichter Mark Zuckerberg. Dat Facebook ook buiten de universiteit in de USA een succes werd, is inmiddels al geschiedenis. De hele wereld begint Facebook-accounts aan te maken. Waarom?

Dat heeft mij de afgelopen weken beziggehouden. Het antwoord ligt volgens mij in het alles-in-één-pakket van Facebook. Er zijn zeer veel

verschillende social media-sites. Veel, heel veel. Allemaal met de mogelijkheid om content te delen. Als voorbeelden: YouTube is voor film, Twitter voor korte berichten en Flickr voor fotos. Facebook biedt dat allemaal
binnen de eigen site. Het voordeel is dat je niet via het verzenden van
een link iemand kunt laten weten dat je een leuk filmpje hebt gezien op
YouTube. Je kunt binnen Facebook direct een mail verzenden. De kracht
van Facebook is dus dat dit social media-kanaal alles onder één dak
heeft. Ik zal een paar voorbeelden noemen:

- Tekst delen (oude vorm sms, blog, website)
- Video's delen (YouTube, vimeo)
- Foto's delen (Flickr, Mobypicture, Picasa)
- Link naar een andere site delen (Delicious, Digg)
- Korte berichten/aandacht delen (Twitter).

De bovenstaande items zijn de afgelopen jaren het succesverhaal geweest om te delen. Mensen werden lid van YouTube. We werden lid van
Twitter. Enkel en alleen om content met elkaar te delen. Upload een foto
en de buurman geeft zijn mening. Sociaal contact. Maar de afgelopen
jaren moest je al die sites controleren en bijhouden. Dit kost veel tijd en
energie. Zeker als je een beetje sociaal actief was, ging daar heel veel
tijd in zitten.

Maar hoe komt het nu dat Facebook die 400 miljoen mensen binnen
heeft weten te halen? Wat is de kracht van Facebook, dat jij als mens lid
wordt? Binnen Facebook wordt het delen, 'I like', schrijven en zoeken
naar onderwerpen de gebruiker heel gemakkelijk gemaakt. Facebook
laat je elke actie die betrekking heeft op jouw items, direct zien. Facebook heeft al dat 'ik-wil-mijn-content-delen' in zich. Het wisselen tussen de verschillende social media-sites is dus niet meer nodig. Je hoeft

Facebook niet te verlaten om filmpjes te bekijken. Je blijft binnen Facebook om foto's te zien. Facebook heeft dat slim en handig gedaan om groot te worden, maar daardoor voor ons ook makkelijker. Het succes van Facebook is het kunnen delen van alle digitale items op één site. Dat maakt Facebook tot een machtige social media-speler. De integratie van Facebook in het geheel van social media is duidelijk en helder. Via verschillende applicaties is Facebook onder andere te linken aan je blog, je Twitter, je foto's en YouTube. Er zijn ook verschillende *social games* op Facebook, die miljoenen volgers hebben. Voorbeelden zijn Farmville en Maffia Wars. Alleen met de hulp van vrienden op Facebook kan je succes behalen met deze games. Het *social gamen* zorgt voor contact, interactie en lol. De combinatie van contact en een spelletje spelen is al jaren een succesvolle sociale formule gebleken.

Dat bedrijven en je vrienden binnen één site te vinden zijn, maakt Facebook tot een machtige marketingtool. Als ik iets leuk vind aan een bedrijf op Facebook, heb ik binnen enkele klikken mijn vrienden daarover op de hoogte gebracht. Voor zowel bedrijven als voor privémededelingen op Facebook is het ideale aantal 2 per dag. Dit zorgt voor voldoende aandacht.

Het feit dat er 400 miljoen mensen lid zijn van Facebook zorgt ook voor belangstelling bij bedrijven. Social media zijn een hot item op dit moment. Bedrijven verschuiven de aandacht voor de klant richting social media. Facebook is daar een zeer groot voorbeeld van. Er zijn al Facebookbedrijfspaginas met meer dan 5.311.458 fans (Coca-Cola). Grote merken als Adidas, Coca-Cola en Ikea hebben succes op Facebook. De leden van Facebook gebruiken de site ook steeds meer als zoekmachine. Facebook wordt op dit moment meer gebruikt dan Google voor zoekacties op internet. De leden verwijzen elkaar naar items, bedrijven en andere content. Het feit dat ook bedrijven zich meer en meer op Facebook gaan begeven, maakt Facebook tot een eigen marketingwereld. Ik zie de rol van Facebook in mijn privé en zakelijke leven elke dag toenemen.

Wat levert Facebook je op?

Facebook gaat zeker zakelijk gezien een positie opeisen in Nederland. In Amerika is het voor de kleine ondernemer al normaal geen eigen website meer te hebben. De Facebook-pagina vervangt dat volledig. Je kunt immers je eigen profiel uitbreiden met allerlei 'pagina's'. Die zogenaamde bedrijfspaginas gaan over een bepaald onderwerp of een bepaalde dienst. Elke andere Facebooker kan zich aansluiten bij jouw pagina. Je hebt dan fans. Op die manier bouw je je eigen community op in Facebook rondom een bepaald thema.

De bedrijfspagina van bijvoorbeeld KLM (www.facebook.com/KLM) heeft bijna 58.000 fans (juni 2010). In juni 2010 heeft 3000 KLM-bagagelabels weggegeven. Dat is niet zo bijzonder, denk je. Maar via Facebook kon je een label bestellen met je eigen foto erop. Deze kreeg je in tweevoud thuis gestuurd. Het zijn stevige, plastic labels die altijd van pas komen. Daar kunnen 3000 mensen weer 10 jaar reclame mee maken.

© foto Joanet: @Aardbeitje Natascha van der Spek

Voorbeelden van bedrijfspagina's uit Amerika zijn:
- www.facebook.com/Starbucks – koffie
- www.facebook.com/cocacola – cola
- www.facebook.com/liaisonsbni – BNI netwerkclub

- www.facebook.com/brandingpersonality – bedrijfspagina van Branding Personality
- www.facebook.com/OrangeCountyPersonalTrainer – Personal Trainer

Op deze bedrijfspagina's is aan het basisprofiel een tabblad toegevoegd. Bij veel van deze pagina's wordt dat ene tabblad als landingspagina gebruikt. Je ziet dat je in Facebook zit, maar komt meteen op een gepersonaliseerde pagina terecht. Zal deze trend ook doorzetten in Nederland? We zullen het zien, ik verwacht van wel.

Facebook bedrijfspagina's

Stappenplan voor het aanmaken van een Facebook bedrijfspagina:

1 Log in bij facebook.com
2 Type in de adresbalk 'pages', de volledige URL is dan www.facebook.com/pages.
3 Klik op de knop 'Pagina Aanmaken'.
4 Selecteer 'lokaal bedrijf', vul de naam in van je bedrijf en klik op 'officiële pagina maken'.
5 Je hebt nu een bedrijfspagina van je bedrijf, klik op de button 'Vind ik leuk'.
6 Ga terug naar je *personal page* (klik op 'profiel') en klik onderaan op 'Andere Pagina's weergeven', hier zie je je bedrijfspagina. Zo niet, type dan je bedrijfspagina in het zoekveld.
7 Ga naar je bedrijfspagina en begin met het uploaden van je foto, of bedrijfslogo.

8 Ga terug naar je persoonlijke facebookpagina (klik op 'profiel'). Bij 'Recente bezigheden' zie je je bedrijfspagina. Klik op de betreffende link.

9 Als het goed is, ben je nu op je bedrijfspagina (zo niet, type dan de naam van je bedrijfspagina in het zoekveld in).

10 Klik op de info-button en klik vervolgens op 'gegevens bewerken'. Vul hier je adresgegevens, bedrijfsdiensten en -specialismen in en sla wijzigingen op.

11 Klik op de + button rechtsboven. Klik vervolgens op 'notities'. Gebruik 'notities' om informatie te plaatsen die je in het menu 'info' niet kwijt kunt.

12 Je hebt nu een bedrijfspagina. De volgende stap is om vrienden, kennissen en klanten uit te nodigen. Zie je bedrijfspagina als een dynamische website, waarmee je veel meer interacteert met mensen dan op je bedrijfswebsite.

13 Nodig mensen uit om jouw bedrijfspagina te *liken*. Dit doe je door op de knop 'voorstellen aan vrienden' te klikken en de URL van jouw bedrijfspagina te verspreiden via Twitter, LinkedIn, e-mail enzovoort. Als je interessante inhoud op je bedrijfspagina hebt staan, gaan ze jouw bedrijfspagina en artikelen hopelijk delen met hun vrienden.

14 Probeer regelmatig nieuwe informatie toe te voegen aan je bedrijfspagina, bij voorkeur minimaal één keer per dag.

15 Als je meer dan 25 fans hebt, kun je een eigen URL aanmaken. Dit is met name vanuit zoekmachinevriendelijkheid belangrijk; daarnaast kun je dit adres dan ook op je visitekaartje en in digitale ondertekening plaatsen. Ga hiervoor naar www.facebook.com/username.

16 Houd in je achterhoofd bij het plaatsen van informatie dat je in de eerste plaats een mens bent en in de tweede plaats een bedrijf.

17 Als je een poosje actief bent, dan krijg je van Facebook wekelijks een mailtje met bezoekersstatistieken van je bedrijfspagina. Doe hier je voordeel mee.

18 Volg vanaf je bedrijfspagina andere bedrijfspagina's die je interessant vindt. Zo kom je zelf bij meer mensen *in the picture* en blijf je goed op de hoogte.

19 Vraag vrienden en goede klanten of ze een recensie willen schrijven bij je artikelen. Dit werkt erg goed voor de vindbaarheid in Google.

20 Gefeliciteerd, je basisbedrijfspagina staat! Er zijn vele interessante widgets (hulpprogrammaatjes) om meer uit je bedrijfspagina te halen.

Bron: www.socialmedium.nl/facebook/stappenplan-voor-het-maken-van-je-bedrijfspagina-in-facebook

Voorbeelden van Nederlandse bedrijfspagina's zijn:

- www.facebook.com/NikeRunningNederland – Nike Nederland
- www.facebook.com/eastpak.nederland – Eastpak
- www.facebook.com/sawadee.nl – Sawadee
- www.facebook.com/DeloitteNederland – Deloitte
- www.facebook.com/ErnoHanninkNL
- www.facebook.com/fiatnl

Als je er zelf mee aan de slag gaat, lees dan ook de vijf tips voor een succesvolle Facebook-pagina (www.socialmedium.nl/facebook/5-tips-voor-een-succesvolle-facebook-bedrijfspagina).

Hyves

Hyves is een netwerksite gebaseerd op informeel contact. In Nederland is Hyves al jaren populair als netwerksite. Om je privénetwerk te onderhouden is het een prima site. Laat je netwerk hier ook weten dat je op zoek bent naar opdrachten of contacten. Hyves heeft momenteel ruim 10,6 miljoen leden waarvan circa 9 miljoen Nederlandse Hyvers. Hyves heeft nog wat meer getallen op een rijtje gezet:

- Momenteel 6,2 miljard pageviews per maand
- Gemiddelde leeftijd: 30
- Man: 44 procent
- Vrouw: 56 procent
- Gemiddeld aantal vrienden: 101
- NL-members: circa 9 miljoen
- Krabbels per dag: 2,4 miljoen
- Nieuwe foto's per dag: 940.000
- Privéberichten per dag: 1,2 miljoen
- Chatberichten per dag: 7,2 miljoen

Bron: www.hyves.nl/over/facts

Doelgroepen:

- 75 procent van de 13–34 jarigen heeft een account
- 60 procent van de 35–49 jarigen heeft een account
- 29 procent van de 50+'ers heeft een account, bijna 3 van de 10 dus!

- Van de laagopgeleiden heeft 39 procent een Hyves-account
- Van de middelbaar opgeleiden heeft 56 procent een account
- Van de hogeropgeleiden heeft 57 procent een account

Bron: STIR, webwereld, februari 2010; bereiksonderzoek door STIR onder panel van 10.000 Nederlanders van 13 jaar en ouder

Tips

- Scherm je profiel af voor vreemden
- Breng bij Hyves je persoonlijke netwerk in kaart en informeer ze
- Maak een bedrijven-Hyves aan als je marketing in de Hyves-doelgroep wilt doen.

Zakelijk gezien kun je met Hyves uit de voeten als je je op de particulier richt met bijvoorbeeld kinderkleding. Als je doelgroep op Hyves zit, moet je daar als aanbieder ook zitten. Hyves kent ook betaalde advertentiemogelijkheden.

Gezien de doelgroep (jonge kinderen) heeft Hyves ook aandacht voor de veiligheid. Lees de adviezen aan ouders: www.hyves.nl/about/parents en alles over veilig Hyven: www.hyves.nl/veilighyven.

NING en de overgang naar Grou.ps

Tot juni 2010 gratis software die je in staat stelt om een eigen netwerk of community te bouwen. Met functies als:

- Forum
- Foto's en video's delen
- Evenementenkalender
- Groepsberichten

Je kunt ook je website via NING laten draaien. Dit is niet gratis. Voorbeelden zijn:

- Leading Ladies Club
- Nederland 2.0

Succesvolle communities zoals Ambtenaar 2.0 draaien in een NING-omgeving. NING werd in de zomer van 2010 een betaalde dienst. Dit heeft geleid tot het opheffen van vele NINGs. Er zijn communities die naar een LinkedIn-groep zijn overgestapt, andere zijn verhuisd naar Mindz.com. NING was een geweldige mogelijkheid om snel en gemakkelijk contact te onderhouden. Het feit dat het gratis was, is van doorslaggevend belang geweest voor het succes. Het is de vraag of NING in de betaalde variant gaat standhouden.

Grou.ps De grote gratis concurrent van NING gaat Grou.ps worden. Het is redelijk gemakkelijk om een NING-community te verhuizen naar Grou.ps.

Mindz.com is een Nederlandstalige netwerksite, gekoppeld aan de fysieke locatie Seats2meet. Mindz.com is gericht op online contact maken en dan zo gemakkelijk mogelijk elkaar in het echt zien. Er is in Utrecht, bij Seats2meet een Mindz-lounge, een zaal die kosteloos gebruikt kan worden voor vele Mindz-activiteiten, alles georganiseerd door Mindz-leden. Kosteloos gebruik betekent ook kosteloze deelname voor de leden.

Hoe werkt Mindz? Bij Mindz vul je een profiel in. Je kunt je Mindz-profiel koppelen aan Twitter en aan een RSS-feed. Je kunt je vervolgens aansluiten bij Plaza's (openbare groepen) en Circles (besloten groepen). Het aanmaken van Events vanuit een Plaza is bijzonder eenvoudig en effectief.

Als je je inschrijft bij Mindz, ben je in een handomdraai ook community manager! Je kunt beschikken over tools die allemaal gratis zijn:

In juli 2010 vernam ik van de eigenaar/oprichter van Seats2meet en Mindz, Ronald van den Hoff, dat er een volledig nieuwe layout in de planning staat. Tijdens het schrijven van dit boek kon ik daar nog niet over beschikken.

Een ander Nederlands initiatief dat zijn waarde langzaam bewijst is www.femalefactor.nl. De site heeft minder een zakelijk karakter, meer *fun* en privé. Toch kun je hier ook inspirerende dames ontmoeten die je verder kunnen helpen. De kern van Female Factor zijn de maandelijkse lunches op vele locaties in Nederland.

111

Hoe een project tot stand is gekomen

Op 28 mei 2009 waren aanwezig bij de Female Factor lunch in Arnhem Jeanet Bathoorn, Eliane van Beukering, Marieke Diepenbroek en nog zeven anderen. Gezellig, maar eigenlijk niet kennisgemaakt met elkaar.

De tweede lunch was op 25 juni 2009, daar waren Jeanet en Marieke aanwezig. En er was tijd om uitgebreid kennis te maken. Iedereen vertelt over wat haar bezighoudt; zo vertelde ik over mijn workshops LinkedIn en de Poken. Gewoon uit enthousiasme.

Na enige dagen belt Eliane Jeanet op. Afspraak gemaakt voor 10 juli 2009 met nog andere dames die uitgenodigd waren door Eliane. Na twee uur brainstormen lagen er afspraken voor samenwerking klaar.

Resultaat: een volledige training voor en door vrouwen, met als doel de dames die dat nodig hebben net dat zetje te kunnen geven om een prima baan te vinden. Dankzij Female Factor en de formule van de maandelijkse lunches tot stand gekomen en in drie maanden gerealiseerd.

de wereld van i**k**ki®

De site www.ikki.nl is in 2009 gelanceerd en heeft de ondertitel: 'de wereld van ikki, een gratis website om aan je carrière te werken'. Ikki is gericht op ontplooiing en ontwikkeling van jou of van je loopbaan. De

De wereld van ikki draait om meer dan werk, het gaat erom dat je doet waar je plezier in hebt
→ meer over ikki

site ziet er fleurig uit. Maar ook hier geldt: stop er tijd in voordat het rendeert.

Op ikki kun je je profiel volledig invullen. Wat een mooi pluspunt bij ikki is, is dat er veel online psychologische tests beschikbaar zijn gesteld. Deze kun je gratis invullen. De uitslagen van die tests worden aan je profiel toegevoegd zodat ook bedrijven kunnen zien waar je sterke punten en capaciteiten liggen. Daarnaast worden er vacatures geplaatst op ikki. Ook kun je via ikki je netwerk sterk vergroten en vooral met de mensen in contact komen die je kunnen helpen met jouw specifieke loopbaanvraag.

Het profiel op ikki:

Is je doel een andere loopbaan? Ga naar www.ikki.nl en meld je aan!

Overige websites

Er zijn nog veel meer websites wereldwijd. Het is goed om dat te weten, maar gezien het geringe belang voor de Nederlandse markt worden ze heel kort besproken.

Plaxo In 2008 kwam Plaxo snel op. Het werd gezien als een concurrent van LinkedIn en Facebook. Plaxo gaat  ook over netwerken online en biedt een mix tussen privé en zakelijk. Het is een gebruiksvriendelijke site, maar voegt nog niet veel toe. Anno 2010 is Plaxo niet zo actief meer.

XING Xing is de Europese tegenhanger van LinkedIn, afkomstig uit Duitsland. Als je doel is om een netwerk in Duitsland op te bouwen, ontkom je niet aan Xing. Xing heeft circa 7 miljoen geregistreerde gebruikers, van wie vele een betaalde account hebben.

@JeanetBathoorn Ik heb het een tijdje gebruikt, maar voor mij niet functioneel. Gewoon een netwerk wat nog meer tijd verbruikt

Delsea [+] Thu 15 Jul 16:11 via Echofon

Bron: www.web-strategist.com/blog/2009/01/11/a-collection-of-social-network-stats-for-2009

MySpace MySpace is wereldwijd een grote website met circa 76 miljoen leden, voornamelijk uit Amerika. De  website is gericht op delen, met name muziek, video en foto's. Vooral muzikanten profileren zich er graag.

De laatste trend is echter een leegloop van MySpace. Gebruikers gaan voornamelijk naar Facebook.

@tom_beek @JeanetBathoorn
MySpace heeft stilgezeten waar de concurrenten zijn gaan rennen.
Wet van de remmende voorsprong

derique, [+] Thu 15 Jul 16:34 via Twitterritic in reply to…

Ecademy Afkomstig uit Engeland met een kern van actieve gebruikers die elkaar ook regelmatig in het echt zien. Ook in

Nederland wel in gebruik, maar niet tot de massa doorgedrongen.

Second Life Second Life genoot een paar jaar geleden veel media-aandacht. In de driedimensionale online wereld kunnen

gebruikers met hun 'avatars' rondlopen en contact leggen, maar ook bijvoorbeeld zelf huizen bouwen of gebruiksartikelen maken. Ook kunnen gebruikers stukken virtueel land kopen en weer verkopen of verhuren, al of niet met bebouwing. Veel bedrijven en overheden openden op het hoogtepunt van de hype rond het platform kantoren in Second Life. De hype is anno 2010 over. Maar een korte blik op een Nederlands Second Life forum laat zien dat er nog genoeg actieve gebruikers zijn om vragen te stellen en te beantwoorden. *Bron: http://nlforumsl.nl/index.php?option=com_kunena&Itemid=5*

Momenteel is de insteek van Second Life om volledige integratie met internet te realiseren. Mijn persoonlijke verwachting is dat een Second Life-achtige omgeving zeker terug gaat komen. De trend naar 3D-internet – een internet waar je eigen avatar kan 'rondlopen', netwerken en communiceren – juich ik toe! We moeten af van het anonieme internet en toe naar een transparant internet. Daarom zullen de avatars gekoppeld moeten worden aan de socialenetwerk-profielen zodat je meteen kunt zien met wie je te maken hebt. *(Bron: www.mediawijzer.net/?q=publiek/nieuws/second-life-wil-internet-binnenhalen)*

Bekijk ook de aflevering van Leiders Gezocht van 12 december 2010 waarin Byron Reeves, hoogleraar Stanford University, uitlegt hoe avatars hun intrede gaan doen: www.uitzendinggemist.nl/index.php/aflevering?aflID=11822159&md5=6ce10fa6 379f7b2f8240bbe3254522b3

Tag cloud – CV 2.0 Wil je echt 2.0 zijn of worden, maak dan van je cv of je website een tag cloud met de site www.wordle.net

Deze tag cloud is van mijn site. Je kunt kleuren, lettertype en lay-out veranderen.

MARLISE IS JARIG – JARIG 2.0!

Ik heb laatst aangegeven dat ik wel iets wil bijdragen aan je boek, over hoe social media mijn leven hebben veranderd. Eigenlijk zegt mijn tweet van gisteren, toen ik jarig was, alles: jarig 2.0:

54 felicitaties via Twitter

5 via Hyves

2 via LinkedIn

5 via Facebook

1 mail

3 telefoontjes

2 kaarten

Ik vierde mijn verjaardag eigenlijk niet, maar dankzij mijn online netwerken voelde ik me absoluut jarig! Het leuke aan Twitter is de hoeveelheid: elke keer als je op je mentions klikt, zijn er weer een paar berichtjes. En vaak verwonder ik me over de hartelijkheid en oprechtheid van mensen die je eigenlijk helemaal niet (of maar een klein beetje) kent.

Overzicht van websites

Linked

www.linkedin.com

Bron: http://blog.Linkedin.com

- Netwerksite
- Zakelijk bedoeld
- 70 miljoen profielen
- 2 miljoen in Nederland
- Hoogopgeleid
- Wordt door 80 procent van de recruiters gebruikt om kandidaten te vinden
- Ruim 30 procent van de ondernemers haalt er business uit

twitter

www.twitter.com

Bron: http://techcrunch.com/2009/10/05/
twitter-data-analysis-an-investors-perspective
Bron: http://twittermania.nl/2009/07/
3-nederlanders-gebruikt-twitter

- Microblogging
- Individueel bedoeld
- 50 miljoen twitteraars wereldwijd
- 25 procent twittert actief
- Nederland: circa 500.000 twitteraars
- Snel, *real time*, versturen van berichten en contact maken met anderen
- Vergroten van je netwerk
- Verrijken van je netwerk
- Heel veel lol en inspiratie

facebook.

www.facebook.com

Bron: www.facebook.com/press/
info.php?statistics

- Online netwerken
- Privé en zakelijk
- 500 miljoen gebruikers
- 70 procent buiten de VS
- In VS hoge participatie van allochtonen
- Als Facebook een land zou zijn, zou het het drie na grootste land zijn
- Nederlandstalige knoppen zijn mogelijk (zelfs Fries kan tegenwoordig)

www.hyves.nl

Bron: www.hyves.nl/over/facts
STIR, webwereld, februari 2010

- Netwerksite
- Informeel bedoeld
- Circa 9 miljoen Nederlandse profielen
- Alle opleidingsniveaus
- Leeftijd gemiddeld: 27-30 jaar
- Tussen de 35 en 49 jaar bezoekt 60 procent Hyves
- van de 50+'ers 29 procent
- Van de 13- tot 34-jarigen bezoekt 75 procent Hyves

www.mindz.com

- Netwerksite gekoppeld aan IRL ontmoeten bij Seats2meet
- Zakelijk bedoeld
- Veel zelfstandig professionals
- Veel interactie
- Ruim 50.000 profielen
- In 2009 zijn 5.000 blogs geplaatst
- 90 procent uit Nederland

POKEN

www.doyoupoken.com

- Digitaal adresboek voor het bewaren van je poken-contacten
- Poken = digitaal visitekaartje
- Handig en snel contact maken op netwerkborrels en congressen

www.ning.com

- Bouw je eigen community
- Gratis software om je eigen groep een plaats op internet te geven
- Functionaliteiten zijn gericht op contact maken, informeren en delen
- Foto's en video's gemakkelijk te plaatsen
- Groep in 1x op de hoogte brengen van nieuws

www.femalefactor.nl

- *Women only*
- Online contact maken
- Offline elkaar zien bij de maandelijkse lunches
- Laagdrempelig, gezellig
- Vergroot je netwerk in de regio

www.ikki.nl

- Website om aan je carrière te werken
- Profiel aan te vullen met psychologische tests
- Veel offline bijeenkomsten

www.blip.fm

- Netwerken op basis van muzieksmaak
- Koppelen aan Twitter
- *Just for fun!*

plaxo

www.plaxo.com

- Concurrent van LinkedIn en Facebook
- Netwerken online
- Mix tussen privé en zakelijk
- Gebruiksvriendelijke site, voegt echter nog niet veel toe

www.xing.com

- De Europese tegenhanger van LinkedIn
- Circa 7 miljoen leden
- Heel groot op de Duitse markt

www.myspace.com

- 76 miloen leden, voornamelijk VS
- Gericht op delen
- Vooral muzikanten profileren zich er graag

www.wordle.net

- Pimp je website of je CV met je eigen tag cloud. Ziet er meteen een stuk hipper uit.
- Geen netwerkfunctie

3

De impact
van social media

De opkomst van social media

Wat zijn social media precies? Is dat hetzelfde als online netwerken? Of social networking? Nee, online netwerken valt wel onder social media maar is slechts een aspect ervan. *Heeft de opkomst van social media impact voor het dagelijkse leven?* Ja, het heeft impact: de komst van allerlei soorten social media-websites zorgt ervoor dat we op een andere manier kennis en informatie vergaren, en op een andere manier contact maken met andere mensen.

Volgens de makers van het wereldberoemde filmpje 'Social Media Revolution (1 en 2), Socialnomics':

- Het is 'social media' gelukt om porno van de eerste plaats te verdringen als het gaat om internetactiviteiten
- 1 op de 8 stellen die trouwen in Amerika, hebben elkaar ontmoet via social media
- De vraag is niet meer of we aan social media doen, de vraag is hoe goed we het doen (citaat: Erik Qualman)
- In 4 minuten tijd wordt er meer dan 100 uur video geüpload op YouTube
- 25 procent van de zoekresultaten naar 's werelds top 20 grootste merken leidt naar 'user-generated content'
- Mensen vinden het belangrijker wat anderen zeggen dan wat Google zegt
- Tijdens kerst 2009 zijn er meer e-boeken verkocht dan papieren boeken (in Amerika voor de Kindle)
- Per dag op Facebook: 60 miljoen statusupdates.

> ## Social Media isn't a fad,
> ## it's a fundamental shift in the way we communicate.

Bron: www.youtube.com/watch?v=lFZoz5Fm-Ng

En vergeet niet, de social media-revolutie is nog maar net begonnen. Want hoe oud zijn die websites precies (in 2011):

- LinkedIn: 8 jaar (2003)
- Facebook: 7 jaar (2004)
- Hyves: 7 jaar (2004)
- Twitter: 5 jaar (2006)
- Foursquare: 2 jaar (2009)

We kunnen nog heel wat revoluties verwachten.

INTERVIEW // HARRIET KOLLEN – BLOEI (WWW.BLOEI-COACHING.NL)

DE KEUZE VOOR SOCIAL MEDIA EN DE GEVOLGEN

Harriët Kollen (onderwijsprofessional, ondernemer, eigenaar Bloei Coaching) kent geen knoppenangst. Ze twittert dat het een lieve lust is. Haar LinkedIn-profiel is up-to-date en ze vult haar eigen website met content. *How come?*

'Eerlijk gezegd heb ik nooit knoppenangst gehad. Het was dan ook een feestje om nog zo'n vrouwelijke knoppengek tegen te komen als Jeanet Bathoorn.

Mijn visie in Bloei Coaching Ik heb jarenlange ervaring in het onderwijs en ken de schoolcultuur dan ook in al haar verschijningen, de mooie kanten en ook de loodzware zijden van het vak. Ik zie veel mensen die twijfelen aan hun kunnen en die daarnaast vaak ook volledig uitgeblust zijn. Mensen in het onderwijs zet ik graag weer in hun kracht om ze tot bloei te laten komen.

LinkedIn Een LinkedIn-profiel had ik al. Door Jeanet Bathoorn ben ik dit medium actiever gaan inzetten om mij binnen mijn vakgebied te profileren. Regelmatige *postings* en toevoegingen van nieuwe activiteiten dragen ertoe bij dat ik mijn zichtbaarheid vergroot.

Hyves Mijn Hyves-contacten heb ik na twee jaar gedeletet. Toen ik mijn eigen bedrijf opstartte, leek het mij verstandig goed te overwegen of het mijn zaken zou stimuleren of tegenwerken. Ik heb besloten te stopppen met Hyves. Juist omdat Hyves zo'n open netwerk is en iedereen zich kan aanmelden (ook de mensen die voor mijn potentiële klanten niet direct zouden werken als visitekaartje). Zo had ik bijvoorbeeld puberale ex-leerlingen in mijn vriendenoverzicht, die ik in eerste instantie grappig vond om toe te voegen, maar met hun foto's en teksten en muziekkeuzes wilde ik toch niet direct geassocieerd worden. Met andere woorden: Hyves kon zakelijk wel eens tegen mij gaan werken!

Twitter Maar daar was: Twitter! Voor mij dé ontdekking van het jaar 2008! Twitter heeft mij in een nieuwe woon-/werkomgeving vriendschappen, connecties en klanten opgeleverd! Een flink aantal mensen heb ik in het echt ontmoet, *in real life*. Creatieve uitwisseling en inspirerende contacten: een toegevoegde waarde.

Ik ben een intensieve twitteraar, zou niet goed meer zonder kunnen. Wanneer ik iets wil weten of iets te vertellen heb, via Twitter kom ik aan mijn informatie, uitwisseling van vakkennis, ideeën voor vakanties, voor events, concerten of ik word op politiek gebied bijgepraat. Je kunt het zo gek niet verzinnen, de hele wereld onder handbereik. Op een prettige, aardige en positieve manier heb ik de meest uiteenlopende mensen ontmoet waar ik heel blij mee ben.

Verder kunnen mijn volgers zien waar ik mij op mijn vakgebied mee bezighoud. Zij volgen mijn interesses en mijn werkzaamheden op de voet. Dat levert ook mooie reacties op. Daarnaast biedt het mij de mogelijkheid mijn vakkennis te etaleren.

Op mijn eigen manier probeer ik andere mensen enthousiast te maken voor deze mooie wijze van informatievergaring. Ik wil laten zien dat iedere persoon heel eenvoudig de wereld een stukje dichterbij zich kan halen!'

Vroeger hadden we knoppenangst, of in het Engels: cyberphobia

Zo'n tien jaar geleden was dat duidelijk! Als je niet kon mailen of een beetje surfen op het net, had je knoppenangst. Help, die computer kan zomaar ontploffen. Tegenwoordig durven we daar niet meer voor uit te komen. En zeg nou zelf, we kunnen mailen, we vinden wel eens wat met Google, ach en Hyves lukt ook nog wel. Dus knoppenangst, nee echt niet.

Een snelle Google-search leert ons dat knoppenangst in 2010 vooral geassocieerd wordt met:

- Ouderen (http://web.tue.nl/cursor/html/cursor4119981999/cursor22/pag7a.htm)
- Bestuurders (www.sfeervanbeheer.nl/E-magazine_2008_02_00.html)

- Vrouwen (wwwpassagevrouwenblogspotcom-norma.blogspot.com/2010/07/knoppenangst.html)
- Digibeten (www.digivaardigdigibewust.nl/Nieuws/nieuw_onderzoek_digibyte_digibabe_digibeet)

Nieuw onderzoek! Digibyte, digibabe, digibeet

Wat zijn de redenen om niet of nauwelijks gebruik te maken van internet? Wat zijn de belemmeringen en beperkingen die mensen hierdoor ervaren? Deze en andere vragen worden beantwoord in het onderzoek 'Digibyte, digibabe, digibeet'. Dit onderzoek is uitgevoerd door Marion Duimel en Ferro Explore! in opdracht van Digivaardig & Digibewust.

Uit het onderzoek blijkt dat een klein deel van de deelnemers aan het onderzoek uit overtuiging digibeet is. Deze mensen zijn niet geïnteresseerd in het gebruik van computer en internet. Ze hebben het niet nodig en willen er ook niet aan beginnen. Ze vinden het ook niet prettig dat de hele wereld er steeds meer afhankelijk van lijkt te worden. Bij een groot deel van de deelnemers bestaat echter wel degelijk de behoefte om beter met computer en internet om te leren gaan. Zij hebben een positieve attitude tegenover computers en internet. Ze beseffen dat het medium zo belangrijk is geworden, dat je er niet meer omheen kunt. Ook beginnen ze zelf steeds meer de mogelijkheden en ook de voordelen van de computer en internet te ontdekken. Het probleem is echter dat ze achterlopen qua kennis en vaardigheid en dat ze het idee hebben dat het veel tijd en moeite zal kosten deze achterstand in te halen. Deze mensen zijn geholpen met meer voorlichting, cursussen op maat en verbetering van de gebruiksvriendelijkheid van internet en internetdiensten. Een positieve benadering, waarbij de nadruk ligt op de mogelijkheden en voordelen, is gewenst. Aanspreken op mogelijke uitsluiting werkt daarentegen niet motiverend.

Uit het onderzoek blijkt verder dat de persoonlijke mogelijkheden, zoals het onderhouden van sociaal contact, het internet als informatiebron, het op orde houden van financiële zaken (een gevoel van onafhankelijkheid) motiverend zijn om online te gaan. Als barrières worden aangemerkt het gebrek aan kennis en ervaring, het gebrek aan tijd en energie die men erin moet steken, negatieve gevoelens als angst (faalangst, angst voor dingen die mis kunnen gaan), schaamte en aversie. Mensen die weinig of geen internet gebruiken, voelen zich regelmatig onder druk gezet doordat in de media veel naar internet wordt verwezen. Ook leggen anderen in hun omgeving soms druk op.

Op basis van de verschillende motieven van digibeten om niet of beperkt gebruik te maken van internet zijn acht typen digibeten gedefinieerd:

1 Het onbeschreven blad
2 De ongewild gelimiteerden
3 De afkerige criticus
4 De tevreden traditionalist
5 De welwillende afwachter
6 De ploeterende volhouder
7 De selectieve kleinverbruiker
8 De ontmoedigde afhaker

De indeling is bedoeld om meer inzicht te krijgen in de verschillende redenen en motieven die er voor verschillende mensen spelen (iemand zal niet altijd alleen tot één type behoren). Het gaat daarbij om de redenen die mensen zelf aangeven. Het kan dus goed dat er ook nog achterliggende motieven zoals knoppenangst, faalangst of schaamte meespelen.

Bij elk type in het rapport wordt geëindigd met een klein schema waarin de motieven en het internetgebruik van het type staan, alsmede waar het knelpunt ligt en wat er nodig is om de eerstvolgende stap richting succesvol gebruik te zetten. Een stoplicht verbeeldt hoe het ervoor staat wat betreft motivatie en gebruik. Een stoplicht dat twee keer op rood staat, zal meer investering nodig hebben dan iemand die al op groen staat wat betreft motivatie en/of gebruik. Het volledige onderzoek is te lezen via www.digivaardig-digibewust.nl/Nieuws/nieuw_onderzoek_digibyte_digibabe_digibeet.

Het begrip 'knoppenangst' is omgeven door een zweem van vroeger. Knoppenangst hebben we nu echt niet meer.

Als je hoort:
- Zorg dat je WiFi aanstaat
- Voeg even dit draadloze netwerk toe met deze WPA-sleutel
- Kopieer deze HTML-code even en je hebt …
- Maak je URL persoonlijk
- Google indexeert deze site…

Wat gebeurt er dan met je? Ben je vol vertrouwen en ga je het regelen of denk je: waar hebben ze het over? Over haar relatie met computers zegt Sybille Labrijn, schrijver en psycholoog:

Ik ben ervan overtuigd dat mijn computers een eigen leven leiden, onbedoeld! Op momenten dat ik het totaal niet kan gebruiken, gebeurt er van alles. De computer moet gewoon doen wat ik zeg. Ten einde raad roep ik mijn man. Du moment dat hij verschijnt, is alles weer normaal. Hij zegt: 'Natuurlijk leiden computers geen eigen leven.' Nou, die van mij wel.

In workshops over LinkedIn en Twitter kom je ze veel tegen, de zogenaamde 'wapperwijven*' en 'bromberen'. Als ze het niet begrijpen of als de laptop niet doet wat zij willen, gebeurt het volgende: de vrouwen wapperen hulpeloos met de handen, de mannen brommen wat en doen alsof alles het doet. Ze zullen het begrip knoppenangst niet gebruiken, maar als ze vervolgens gerustgesteld worden en je zegt dat ze alle knoppen kunnen indrukken zonder dat dat meteen gevolgen heeft, dan zie je ze dat voor het eerst proberen. Wat een opluchting. Vele generaties zijn niet met computers opgegroeid. Begin jaren tachtig werden er voor het eerst computerlessen verzorgd op de middelbare school. Wie ging daar naartoe? Juist ja, de nerds. Nou, het is tijd om de nerds terug te pakken. *The internet is ours now!* Wij hoeven niet ingewikkeld te programmeren of de techniek leidend laten zijn. Nee, wij willen contact!

En nu in 2011: social media is de nummer 1 activiteit op internet (boven porno inmiddels). En als het om contact maken gaat doen vrouwen opvallend hard mee.

'De succesvolste ondernemers van de toekomst zijn misschien wel gewoon de beste netwerkers.'
ANNEMARIE VAN GAAL

---

* Woord uitgevonden door Annedien Hoen.

Hoe social media de onderstroom in beweging zetten

In 2010 heb ik veel nagedacht waarom ik het de laatste tijd zo naar mijn zin heb qua werk. Natuurlijk vind ik het heerlijk dat al die online netwerkmogelijkheden er zijn; dat er geweldige mensen rondlopen. Maar er is meer... Er zijn twee zaken geweest die me aan het denken hebben gezet:

- Het verschijnen van het boek *Het inkoopparadigma* van Gerco Rietveld
- De staking van de schoonmakers op het station Utrecht in april 2010

Wat hebben die twee met elkaar te maken? Veel. In de westerse cultuur is het gebruikelijk om zo strak mogelijk in te kopen. Het belang van de eigen onderneming staat daarbij voorop. Dan lijkt het vanzelfsprekend dat de grote bedrijven door hun omvang de macht hebben om dit proces in stand te houden. Maar in 2010 zette de doorbraak van de zzp'er definitief door. En de zzp'er profiteert maximaal van de inzet van social media.

De staking van de schoonmakers is veroorzaakt door de oude manier van redeneren. Grote bedrijven betalen gewoon twintig procent minder voor het schoonmaken, de schoonmaakbedrijven accepteren dit – anders zijn ze de klus helemaal kwijt en vervolgens moet er aan alle kanten bezuinigd worden.

Kan dit anders? Ja, vele signalen wijzen hierop. Begrippen als 'waardebepaling achteraf' en 'sociale overwaarde' doen hun intrede. Er is genoeg, we willen delen en waarde is meer dan alleen maar geld. De kleine ondernemer gunt de ander zijn/haar omzet en is transparant in marges en verdienmodellen. Dat kan ook niet anders, want de zzp'er die actief is in het gebruik van social media, heeft een reputatie te verliezen. Je online imago is belangrijk. Immers: als anderen zeggen dat je goed bent, ben je beter! Als je veel van social media gebruikmaakt, is je online reputatie erg belangrijk. Ik moet er niet aan denken om bijvoorbeeld als wanbetaler te boek te staan. Zelf, als ondernemer, merk ik regelmatig hoe kleine ondernemers hechten aan hun imago. Mijn workshops met open inschrijving worden veel gevolgd door zzp'ers. Die hebben een lage gemiddelde betalingstermijn. De incompany workshops die ik verzorg bij grotere en grote bedrijven, hanteren lange betalingstermijnen. Soms duurt het vijf maanden voordat de factuur echt voldaan is. De oorzaken liggen in cultuur, procedures, handtekeningen, bevoegdheden, enzovoort. De financiële afdeling van het grote bedrijf kent mij niet, heeft mijn workshop niet gevolgd en wil me geen plezier doen door snel te betalen. De kleine ondernemer gunt me dat wel. Voor kleine ondernemers is het gebrek aan cashflow erg belemmerend en in uitzonderingsgevallen een aanleiding voor het faillissement.

Op de stelling via Twitter: 'Betalen kleinere ondernemers of zzp'ers sneller een factuur dan grote bedrijven?' stelt:

Jacqueline Fackeldey

Jazeker en ik betaal zelf ook snel want ik weet hoe ergerlijk het is om maanden op je geld te moeten wachten.

Saskia van der Burgh

Vaak is dit het geval...
(zeker in de bouw, die wacht ongeveer 3 tot 4 maanden).

Karin Bronwasser

Ja en nee. Grote bedrijven betalen altijd veel later, maar sommige kleinere kunnen er ook wat van ;)

Daisy Goddijn

Ja, die ervaring heb ik wel. Kleine onder-nemers betalen vaak sneller. Komt denk ik door het persoonlijk contact.

Ellen van Ree

Volgens mij wel, zzp-ers kennen maar al te goed de financiële noden!

Ivo Ouwerkerk

Ik denk van wel. Mijn grootste opdracht-gever hanteert 90 dagen betalingstermijn. Ik betaal sneller!

De kracht van social media zit in het feit dat je de ander de omzet gunt. Zelf werk ik graag samen met andere ondernemers en freelancers. Ik leg graag vooraf uit wat ik verdien aan een bepaalde opdracht en stem de vergoeding voor de ander daarop af. Zodat we er beiden beter van worden. En dan ook nog met de afspraak: hoe beter gepresteerd, hoe meer er in het vat zit voor beiden.

Dit betekent ook voor mij dat ik geen contracten nodig heb om samen te werken. Vertrouwen is een kernwaarde. Ik vertrouw mensen, kan me 'rattengedrag' niet voorstellen. En als dan ineens mijn vertrouwen geschonden wordt, ben ik volledig van slag en reageer ik veel heftiger dan ik normaal zou doen. Slikken en doorgaan, is dan het devies. Ik blijf zaken doen op een wellicht naïeve manier, maar vol energie, dynamiek en met mensen die het vertrouwen wel waard zijn. Daarom is het uiteindelijk toch de moeite van de tegenslagen of teleurstellingen waard. Er zijn heel veel mensen die juist op een positieve manier zaken kunnen en willen doen. Die onderstroom maakt dat ik het wel naar mijn zin heb.

Zou het kunnen zijn dat de westerse maatschappij eindelijk toe is aan een andere manier van zakendoen? Ik vrees dat dat nog wel even duurt. Maar de onderstroom is in beweging. De freelancer komt op voor zijn/haar waarde. Wij doen zaken omdat wij zaken met elkaar willen doen!

Dus ja, ik heb het naar mijn zin. We leven in tijden die nog niet geleefd zijn. We staan aan de vooravond van veel veranderingen, daar ben ik van overtuigd. Ik geloof dat de kracht van social media, het online netwerken en het overal en altijd verbonden zijn, ervoor gaan zorgen dat we naar een positievere cultuur gaan. Immers: als je het ergens verknalt staat het meteen online. Je kunt maar beter je werk zo goed doen dat je reputatie daar ook naar is. Als anderen zeggen dat je goed bent, dan ben je eigenlijk veel beter, en dat is waar social media zo'n grote rol in speelt! Grotere bedrijven moeten daar nog aan wennen, hebben er nog geen antwoord op. Kleine ondernemers snappen dit al, die worden vrijwel altijd ingehuurd op hun reputatie. Die scannen hun online reputatie, hebben een Google-alert op hun naam, zijn via Twitter *realtime* op de hoogte van wat er over hun product of bedrijf wordt getweet.

INTERVIEW // JOJANNEKE VAN DEN BOSCH – *ADVISEUR ONLINE COMMUNICATIE*

SOCIALE MEDIA VERANDERDEN MIJN ZAKELIJKE LEVEN

In een notendop: sociale media hebben mijn zakelijke leven in grote mate richting gegeven. Sinds 2003 blog ik. Ik startte met een (niet-zakelijke) blog over langebaanschaatsen. Schaatsen is mijn passie en ik raak er niet over uitgepraat, dus dat leek me een perfect onderwerp. Wat er toen gebeurde, opende een nieuw zakelijk perspectief. Ik keek op Google en zocht op diverse trefwoorden op schaatsgebied. Ik bleek op dat moment op sportgebied hoger te scoren dan het weekblad *Sportweek* en het *Algemeen Dagblad* bij elkaar. 'Wonderlijk!' dacht ik. Al snel ontdekte ik dat het succes een combinatie is van regelmatig publiceren en het durven kiezen voor concrete, specifieke onderwerpen. Kiezen sluit doorgaans andere mogelijkheden uit... maar áls je durft te kiezen, levert de moedige beslissing erg veel op. Ik maakte al snel de vertaalslag naar zakelijk publiceren. Dat bleek een goede keuze. Inmiddels publiceer ik vrijwel dagelijks informatie over mijn vakgebied online en hoef ik geen moment meer te acquireren: doordat ik keuzes heb gemaakt en gericht communiceer wat ik leuk vind en waar ik goed in ben, komen mooie

135

kansen op mijn pad. Naast het publiceren over mijn vakgebied organiseer ik inmiddels ook een groot deel van mijn werkzaamheden online. Het maakt dat ik locatieonafhankelijk kan werken. En dat biedt mij de flexibiliteit waar ik zo'n behoefte aan heb.

In mijn dagelijkse professionele leven maak ik gebruik van allerlei sociale media om mijn werk voorspoedig te laten verlopen. Voor mijn bedrijfsvoering, mijn externe communicatie, productontwikkeling en innovatie, en voor kennisborging op de lange termijn. In principe heeft iedere organisatie in zekere mate te maken met deze thema's. Het geeft een grote mate van vrijheid en onafhankelijkheid wanneer deze processen slim online georganiseerd zijn.

Bedrijfsvoering Zo heb ik mijn projectenplanning online en beveiligd gehost bij ProjectOffice.net. Opdrachtgevers bevraag ik voor adviestrajecten via een GoogleDoc, zodat we samen op laagdrempelige wijze informatie kunnen verzamelen en delen. Bijvoorbeeld voor projectplannen, inventarisaties en dergelijke. Deze informatie kan, na vervolmaking, weer vertaald worden naar een adviesnotitie, projectplan of wat dan ook. Mijn agenda houd ik bij in GoogleDocs. Dat werkt al jaren goed voor me. Nooit meer Tipp-Ex op samengeplakte agendablaadjes.

Externe communicatie Ik onderhoud dagelijks contact met mijn netwerk. Dat doe ik meestal 'in the cloud' op Twitter en LinkedIn. En uiteraard op mijn zakelijke weblog EosBlog.nl. Ik houd mensen op de hoogte van waar ik mee bezig ben. Ik geef hun eigenlijk een kijkje in mijn zakelijke keuken. Wat ik daarbij belangrijk vind, is dat het niet uitsluitend zakelijke informatie is die ik deel. Ik merk dat mijn opdrachtgevers het leuk en vermakelijk vinden om 'een abonnement op de Jojanneke' te hebben.

Om te zien waar ik mee bezig ben, hoe ik mijn vakkennis op peil houd of gewoon om te zien dat het beter gaat met mijn kat. Inderdaad, mijn kat. Dat líjkt volstrekt inefficiënte en irrelevante informatie, maar de ervaring leert dat die triviale informatie juist de sociale mortel vormt tussen de stenen van professionaliteit. En die is me dierbaar – net als mijn opdrachtgevers. Het praat nu eenmaal gemakkelijker als je elkaar een tijd niet hebt gezien als je weet wat de ander in de tussentijd bezighield.

Naast Twitter en LinkedIn maak ik voor externe communicatie gebruik van Facebook. Hyves gebruik ik al een tijd niet meer. Het voegde niet echt iets toe. Want het is fijn dat er veel tools en platforms zijn, maar dat betekent mijns inziens niet dat je dan ook maar ál die instrumenten in zou moeten zetten. Mijn credo: bekijk kritisch je organisatiedoelstellingen en communicatieve benadering, en kies vervolgens een slimme, gerichte mix van – online en offline – communicatiemiddelen die die doelstellingen helpt realiseren. Draait die mix eenmaal... dan ervaar je al snel het enorme gemak en het plezier. En bovendien: het voordeel dat het je oplevert.

Innovatie en productontwikkeling Om mijn producten en diensten te verbeteren (of die van mijn opdrachtgevers) vind ik het prettig om via sociale media gebruik te maken van bijvoorbeeld Ning, een social communitytool. Je kunt er mensen uitnodigen voor het delen van informatie, meningen (blogs!), kennis, afbeeldingen en video. Bovendien kun je gemakkelijk evenementen organiseren als je je als groep geformeerd hebt. Handig: zo kun je elkaar ook *in real life* ontmoeten nadat je online al een band hebt gesmeed.

Presentaties geef ik vaak met behulp van Prezi. Deze tool is ook uitstekend geschikt voor intern brainstormen, bijvoorbeeld over een nieuw product of de verbetering van een bestaande dienst. Je kunt informatie samenstellen en delen naar wens. Het werkt snel en effectief, en het ziet er ook nog eens grafisch aantrekkelijk uit. Want zeg zelf... het oog wil ook wat. Onderzoek kun je op laagdrempelige maar effectieve manier verrichten via SurveyMonkey. Als je specifieke vragen hebt op het gebied van klanttevredenheid, medewerkerstevredenheid, feedback op een service of behoeftepeiling, dan kun je webbased enquêtes uitzetten. De resultaten worden op aantrekkelijke en duidelijke wijze voor je op een rijtje gezet door de software.

Kennisborging voor de langere termijn Als je eenmaal kennisbronnen hebt samengesteld en bijvoorbeeld procedures opgesteld, dan is het handig als je deze informatie voor langere tijd beschikbaar houdt. Niet ergens verstopt op een server (of erger nog: een cd'tje), maar op een online benaderbaar platform. Desgewenst beveiligd. Denk bijvoorbeeld aan een interne wiki of een dienst als Box.net. Het enige wat je nodig hebt voor het benaderen van je bestanden is een internetverbinding en indien van toepassing een wachtwoord. Ter illustratie de volgende situatie. Stel: je hebt een middelgrote organisatie met drie vestigingen in het land. In Rotterdam, Utrecht en Groningen werken je professionals aan diverse projecten. Vaak is het nodig te overleggen over projecten en moeten bepaalde procedures op identieke wijze worden uitgevoerd. Om nieuwe medewerkers te instrueren over werkwijzen kan het helpen om online de instructies te publiceren. Denk bijvoorbeeld aan belscripts voor callcenters of video-instructies over het bedienen van machines en computerprogramma's. Dat bespaart veel tijd en geld. Zo hoeven instructeurs niet af te reizen naar Utrecht of Groningen, hoeven zij ook niet betaald te worden voor hun herhaaldelijke inzet. Belscripts zou je kunnen publiceren op een interne wiki. Instructiefilmpjes kun je delen via een interne community. Bijvoorbeeld.

Durf Er zijn zo enorm veel voorbeelden te noemen van maatwerkoplossingen voor vaak voorkomende *corporate issues*. En de oplossingen worden steeds innovatiever en creatiever. En meestal betreft het online oplossingen. Ik zou willen aangeven: wees zelf deel van de oplossing. Durf te innoveren – voor jezelf en voor je vakgenoten. Daar kom je het verst mee!

Jojanneke van den Bosch helpt organisaties zich online slimmer en scherper te profileren met internetstrategie en met gebruik van social media en webtoepassingen.

Baby 2.0

De gevolgen van de opkomst van social media beperken zich niet tot internet. Als het digitaal klikt, is de volgende stap altijd een echte afspraak. Dat kan één op één zijn of met een hele groep. Twee twitteraars die elkaar heel aardig vonden, zijn verliefd geworden. In de zomer van 2009 hebben ze elkaar voor het eerst ontmoet. Het grootste nadeel bij deze relatie: de afstand. Hij woont in Tilburg, zij woont in Zuid-Duitsland. En de hele twittergemeenschap geniet mee van de verliefdheid. Ze zien elkaar regelmatig en dan vliegen de tweetfoto's over het net.

In september 2010 is er uit die verliefdheid een echte baby geboren. De koosnaam voor de ongeboren baby is 2.0, dat is bijzonder goed gekozen. De bedoeling is dat de moeder na de bevalling in Nederland komt wonen, ze leert al intensief Nederlands. Zo zie je dat levens ook veranderen door de komst van social media.

NETWERKEN OM EEN BAAN TE VINDEN

Arina Angerman (netwerker, kennismanager, blogger) heeft andere ervaringen. Zij werd door anderen geïnspireerd om meer gebruik te maken van social media.

Leren van verbonden netwerken In augustus 2009 sprak ik tijdens de internationale conferentie www.knowledgedemocracy.nl rond de workshop 'Knowledge Sharing: Who is the Facilitator' met Heleen en Jaap. Zij vertelden hoe de kracht van LinkedIn helpt bij een nieuwe baan vinden en hoe Twitter bijdraagt aan succesvol maatschappelijk protest. Heleen was anderhalf jaar daarvoor begonnen haar connecties op LinkedIn uit te breiden toen ze hoorde dat het hebben van meer dan 220 connecties vanzelf een nieuwe baan oplevert. Jaap gebruikte al jaren innovatieve netwerktechnologie om sociale veranderingen te realiseren. Hij verbindt op Twitter en YouTube vrijheidslievende en moedige vrouwen in Iran. Zij geven hem en ons constructieve energie!

Tweets hebben de grootste invloed In november 2009 leerde Jeanet Bathoorn mij tijdens de workshopdag van Women on the Web twitteren. De tweets van en naar de mensen die ik volg, geven me informatie over innovatieve ontwikkelingen! Ik laat me inspireren door koplopers 2.0: professionals, ambtenaren, ondernemers (zzp'ers) en politici. De ene helft kende ik al en de andere helft is nieuw.

In maart 2010 ontdekte student geschiedenis Adilça Rodrigues mij op LinkedIn als redactielid van *Een Tipje van de Sluier 3* uit 1984. Ze vroeg me via Twitter om een interview. Tijdens het telefoongesprek realiseerde zij zich dat er enorme verschillen zijn tussen 25 jaar geleden en nu in de wijze waarop je een boek met artikelen samenstelt.

Het vinden van een betaalde droombaan gaat mij ongetwijfeld lukken. Ik heb inmiddels meer dan 220 connecties op LinkedIn en groeiende duidelijkheid over wat ik nu echt kan en wil: in de politieke arena door de inzet van sociale media diverse netwerken verbinden en kennis delen over burgerparticipatie.

De gevolgen van social media

Concluderend kun je stellen dat werk en levens veranderen door de komst van social media. Wij maken het begin mee van die revolutie. De manier waarop we werk vinden, contacten leggen, afspraken maken, klussen gedaan krijgen is helemaal aan het veranderen. Een deel van de bevolking zal daar moeite mee hebben, en geloof me, dat heeft echt niet met leeftijd te maken. Het hebben van een nieuwsgierige aard, netwerkend ingesteld zijn, gunnen, delen; dat zijn de belangrijkste voorwaarden voor een succesvolle inzet van social media. Of zoals Petra de Boevere (@slijterijmeisje op Twitter) stelt: 'Social media heet niet voor niets social media en gaat alleen voor je werken als je ook sociaal bent en bijdraagt aan de conversaties.'

Online netwerken
en vrouwen

Vrouwen, bedankt!

Op dit moment is er zoveel mogelijk qua online netwerken op internet, en vrouwen hebben veel meer keuze dan mannen. Echt! Dat is de reden om er in dit boek een apart hoofdstuk aan te wijden. Uit de statistieken blijkt ook overduidelijk dat vrouwen een groot aandeel hebben in het vullen van social networking sites. Drie mogelijke redenen kunnen zijn:

- Het doel is contact maken en communiceren, daar schijnen vrouwen gek op te zijn
- Online netwerken is gemakkelijk, het vereist geen technische achtergrond
- Je bepaalt je eigen uren; ook voor vrouwen die vanuit huis werken is het in te bouwen in de werkschema's.

Dankzij jullie, vrouwen, heb ik een missie. Nou ja, niet dankzij alle vrouwen, eerlijk is eerlijk. Maar dat deel van de vrouwen dat de handjes omhoog steekt als het om internet gaat en dan angstig kijkt en oeh roept. Dat zijn vrouwen die ik graag het digitale pad op help.

Omdat het gebruik van social media:

- Leuk is
- Tijdsbesparend is
- Verrijkend is
- Democratisch is
- Je zelf laat bepalen wanneer je wilt (net)werken.

Een onderdeel van mijn missie is dus op dit moment: vrouwen digitaliseren! En dat doe ik vol overtuiging en enthousiasme. Er zijn zoveel sites speciaal voor vrouwen opgericht, en echt niet alleen voor vrouwelijke ondernemers. Ik noem er een paar:

Vrouwen ondernemen **www.vrouwen-ondernemen.nl**
Voor vrouwelijke ondernemers/starters   GRATIS

Women on the web **www.womenontheweb.nl**
Voor vrouwen die actief met internet zijn   BETAALD

Leading Lady Club **www.leadingladyclub.com**
Voor vrouwen die graag in het echt netwerken   BETAALD

Zaak en Vrouw **www.zaakenvrouw.nl**
Voor alle vrouwelijke ondernemers   GRATIS

Female Factor **www.femalefactor.nl**
Voor alle vrouwen   GRATIS

Vrouwenwoensdag **www.vrouwenwoensdag.nl**
Voor en door vrouwen   WORKSHOPS ZIJN BETAALD

Vrouwen in de media **www.vrouwenindemedia.nl**

Voor vrouwen die publiciteit zoeken   BETAALD

Smart en Sexy **www.smartensexy.nl**

Voor vrouwen die in hun kracht willen staan   GRATIS

Haar eigen zaak **www.haareigenzaak.nl**

Verbindt vrouwelijke ondernemers en hun potentiële opdrachtgevers BETAALD

Zij Spreekt **www.zijspreekt.nl**

Voor vrouwen die spreker zijn/worden   BETAALD

Contentgirls **www.contentgirls.nl**

Voor iedereen – site met veel social media-info   GRATIS

Dutch Cowgirls **www.dutchcowgirls.nl**

Voor iedereen – site met veel social media-info   GRATIS

Women inc **www.womeninc.nl**

Voor vrouwen die vrouwenbeweging steunen   GRATIS

Daarnaast zijn er in LinkedIn groepen te vinden speciaal voor vrouwen. Ook hiervan een, niet uitputtend, overzicht:

- Vrouwelijke ondernemers | Zakenvrouwen | op LI
- New Girls Network
- Verder zijn er groepen van bovengenoemde websites te vinden.

Ik ben van mening dat er juist voor vrouwen veel extra winst te behalen is door online netwerken. Wat is nou gemakkelijker dan vanuit huis je bedrijf te runnen of je werktijden af te stemmen op je eigen situatie?

Op 3 december 2009 heeft Xaviera Ringeling van Contentgirls voorspeld dat 2010 het jaar wordt dat vrouwen zich realiseren dat social media bij uitstek geschikt zijn om je zakelijk te profileren en omzet te genereren. Dus *ladies*: wij verwachten heel wat van jullie!

Het filmpje: www.contentgirls.nl/2009/12/2010-wordt-het-jaar-van-social-media-ladies.

Op Twitter profileren zich dagelijks fantastische zakenvrouwen met bedrijven die steeds beter gaan lopen dankzij social media. Het bekendste voorbeeld is @Slijterijmeisje.

Andere voorbeelden zijn:
- **Marieke Hensel, op Twitter: @hensel** Zij runt vanuit Amerika een succesvol marketingbedrijf en deelt haar kennis en kunde via onder andere Women on the Web. Ik heb haar nog nooit IRL gezien, toch heb ik het idee dat ik haar ken.
- **Lisa Portengen, op Twitter: @lisaportengen** Zij is een van de drij-

vende krachten van Durf Te Vragen, heeft een eigen evenementenbureau en sinds enige tijd zet ze Smart & Sexy op de kaart.

- **Judith Webber, op Twitter:** @JudithWebber Haar bedrijf richt zich volledig op de zzp'er. Ze verbindt, ze brengt kennis over en ze brengt netwerken bij elkaar. In 2010 verscheen haar boek *Laat jezelf zien. Tips voor puur ondernemen.*
- **Laura Babeliowsky, op Twitter:** @laurababel Haar bedrijf Get Clients Now is dankzij de inzet van social media zeer bekend geworden bij de doelgroep.
- **Jojanneke van den Bosch, op Twitter:** @jojanneke Eén bron van inspiratie. Kijk op haar blog: http://eoscommunicatie.web-log.nl

---

INTERVIEW // JUDITH WEBBER – *PUREHUMAN (WWW.PUREHUMAN.NL)*

WAT BETEKENEN SOCIAL MEDIA VOOR JE?

Ik heb zo ongelofelijk veel mooie (en veel gelijkgestemde) mensen ontmoet sinds ik bijvoorbeeld ben gaan twitteren. Ik zie online media als een vorm van jezelf openen naar de buitenwereld. Hoe meer je je opent, hoe meer mensen mee openen en hoe mooier de wereld wordt. Ook heeft bijvoorbeeld Twitter mij al vele klanten opgeleverd, het is tenslotte een medium dat ervoor zorgt dat je met veel meer mensen dan ooit kunt communiceren. Je bereik is met deze middelen vele malen groter en effectiever (omdat mensen je al een beetje kennen) dan oude marketingmethodes. En op deze manier ben je écht in contact met elkaar, wat het alleen nog maar leuker en warmer maakt. Twitter voelt voor mij als mijn netwerk onder handbereik. Als ik een vraag heb, heb ik binnen een paar minuten van meerdere mensen goede antwoorden of feedback, een supertool!

Maar dit geldt wat mij betreft niet alleen voor Twitter, maar voor veel social media-sites die er zijn (de een past me beter dan de ander, daar ben ik nu wel achter). Het doel is *delen* en elkaar helpen, wat ik van nature graag doe en ook als business doe. Elke site heeft weer zijn eigen unieke kenmerken die ervoor zorgen dat leden interesse hebben en houden, want anders overleven ze niet lang natuurlijk. Ik kan iedereen aanraden online media te gebruiken. Voor mij is het alles inéén!

INTERVIEW // JOLANDA PIKKAART – *JOURNALISTE*, *@JOLANDAPIKKAART*

EEN BOEK SCHRIJVEN MET SOCIAL MEDIA

Sinds mijn dertiende wil ik al een roman schrijven, en publiceren natuurlijk. Zeker, er ligt al een eerste versie en een herschreven versie, maar niets voldoet. Als ik zin voor zin doorloop, dan moet ik zuchten. Het is nooit goed genoeg. Waarom is niet elke zin een literair juweeltje? Het grootste probleem, dat ben ik zelf. Mijn innerlijke criticus stopt het creatieve proces. Op 26 oktober 2009 valt mijn oog op een bericht op Twitter over Nanowrimo (National Novel Writing Month), een wedstrijd met jezelf om in één maand een boek te schrijven. Ik ga naar de site en zoek op Twitter contact met andere Nanowrimoschrijvers.

En dan gebeurt het. Dertig dagen lang sluit ik mij een paar uur per dag af. Met onder anderen @MarcelvanDriel, @vanhattum en @westerwk stort ik mij in *write or die*-wedstrijden. Bijna dagelijks zetten wij de klok en schrijven daarna een halfuur of een uur in een razend tempo. Op afstand natuurlijk, zo werkt het met social media. De woorden vliegen uit onze vingers en we geven elkaar complimenten of een vriendelijk steuntje in de rug via Twitter. Alles voor de literatuur...

De maand verdwijnt sneller dan normaal en Nanowrimoschrijvers ontmoeten elkaar in cafés in heel Nederland om samen te schrijven. Ik kies voor de veilige afstand. Van achter mijn MacBook met de strenge blikken van mijn twittervrienden op de achtergrond is er minder afleiding. Op de site van Nanowrimo is een online forum en Schrijvenonline doet ook mee. Een grote groep van mijn volgers leeft met mij mee.

Het begint met een verdwenen echtgenoot die alleen zijn schoenen achterliet. En regelmatig leeft mijn verhaal een eigen leven. En dan is het zover, bijna is het 30 november. Ik ben een winnaar. Hoe dan ook, als je die 50.000 woorden haalt, heb je gewonnen. Gewoon voor jezelf. En nu nog redigeren.

Participatie van vrouwen

De participatie van vrouwen in social networking sites is enorm. De grafiek op de volgende pagina met cijfers uit Amerika laat zien dat 84 procent van de onderzochte sites meer vrouwelijke dan mannelijke gebruikers heeft. In Nederland laat Hyves ook dergelijke cijfers zien. Vrouwen zorgen in één maand voor 88 miljoen bezoeken, mannen in diezelfde maand voor bijna 60 miljoen (STIR webmeter, februari 2010).

Social media en vrouwen: dat gaat heel goed samen. Het gebruik van social media-websites is niet meer tegen te houden. Vooral veel ondernemers hebben baat bij de inzet van social media-websites.

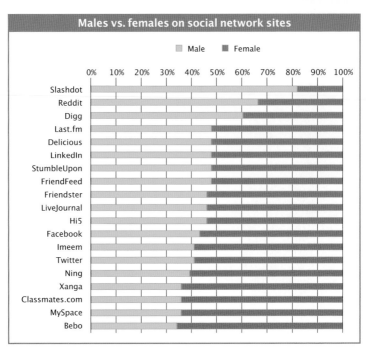

Bron: http://royal.pingdom.com/2009/11/27/study-males-vs-females-in-social-networks

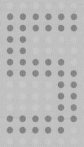

Handigheidjes bij het online netwerken

Als je online gaat netwerken, is het soms handig om wat andere tools in te zetten. Zo kun je bijvoorbeeld snel en gemakkelijk bestanden delen. In dit hoofdstuk noem ik wat mogelijkheden om je leven te vergemakkelijken. Veel meer informatie hierover vind je in boeken met lifehacking tips en over 'Het Nieuwe Werken'.

Google documenten

Is een opslag- en deelmogelijkheid voor documenten, zowel van Word en Excel als PDF.

Voordelen:

- Online beschikbaar en crash bestendig
- Gemakkelijk delen met anderen
- Bij samenwerking altijd maar één versie van een document
- In een paar minuten heb je een goed werkend formulier, bijvoorbeeld ten behoeve van inschrijven voor workshops of evaluaties.

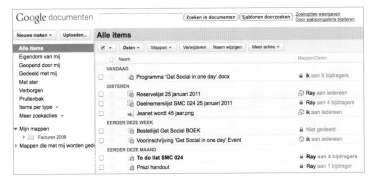

Hoe werkt het?

1 Google-account aanmaken of inloggen
2 Ga naar Docs of Documenten
3 Upload een document of maak een formulier aan
4 Delen via de e-mail
5 Eventueel verwijderen of naam wijzigen.

Via Google Documenten kun je rechtstreeks nieuwe documenten maken. Hier kun je een nieuw formulier maken of bijvoorbeeld een presentatie. Voor meer informatie en uitleg ga naar http://www.google.com/google-d-s/intl/nl/tour1.html

Google agenda

Altijd je afspraken online bij de hand? Maak dan gratis een agenda aan in Google Agenda. Deze agenda is ook te delen met anderen.

Hoe werkt het?

1 Google-account aanmaken of inloggen
2 Ga naar Agenda of Calendar
3 Maak één of meerdere agenda's aan
4 Via de mail kun je toestemming geven een agenda te delen
5 Via de mail kun je mensen uitnodigen voor een afspraak

Google alerts

Google-meldingen zijn e-mailberichten die je automatisch ontvangt als er nieuwe Google-zoekresultaten zijn voor je zoekwoorden. Zo heb ik bijvoorbeeld een Google Alert op mijn naam. Zodra er iets over mij wordt gepubliceerd, ontvang ik daarvan een mail.

Digitale takenlijst

Het is handig om op de computer een takenlijst bij te houden. Dit kan in Outlook. Maar ook webbased. Ook hier komt je Google-account van pas: vanuit Gmail kun je automatisch mails toewijzen aan taken. Alternatieven zijn:
- Remember the milk
- ToDo list toevoegen aan iGoogle.

Voordelen:
- 1 centrale plaats waar je taken staan
- Indien webbased: altijd bij de hand.

*i*Google

Maak je eigen startpagina met je Google-account. Dit kan met iGoogle. Je beslist zelf welke elementen je toevoegt en hoe je startpagina eruit moet zien.

Hoe werkt het?

1 Google-account aanmaken of inloggen
2 Ga naar Meer
3 Zoek in de lijst iGoogle en begin
4 Zoek in iGoogle naar een thema dat je aanspreekt
5 Zoek applicaties die je veel gebruikt, bijvoorbeeld Gmail, TwitterGadget, YouTube, NS, Google Maps, Fokke en Sukke, Google Reader, het weer.

Google reader en RSS-feeds

Rss is een technisch hulpmiddel waarmee je je op de vernieu-wingen van een website kunt abonneren. Zodra er, bijvoorbeeld, een nieuw artikel op Nu.nl of net die ene advertentie op Markt-plaats.nl verschijnt, dan krijg je daarvan een seintje. Lezen via een RSS-lezer bespaart de internetter surf- en zoektijd. De pro-gramma's zijn bedoeld voor internetters die snel en gericht op de hoogte willen zijn van het actuele aanbod in hun interessegebied op internet. Je verzamelt de feeds in je RSS-reader. Een RSS-reader is bijvoorbeeld Google Reader.

 Het symbool voor RSS is dit oranje icoontje. Als je dat op een website ziet staan hoef je er alleen maar op te klik-ken. Je neemt dan een abonnement op de nieuwe artike-len van die website.

Hoe werkt het?

1 Google-account aanmaken of inloggen
2 Ga naar websites die je wilt volgen
3 Zoek het RSS-icoontje
4 Klik daarop en kies vervolgens voor toevoegen aan Google Reader
5 Herhaal dit proces tot je al je favoriete websites hebt verzameld
6 Ga naar Google Reader om alles uit te lezen.

Via je reader blijf je vervolgens op de hoogte van wat voor jou belangrijk is.

Lees meer over RSS-feeds via: www.leerwiki.nl/Hoe_handig_zijn_ RSS_feeds

Skype is een applicatie die al jaren in gebruik is en toch bij het grote publiek nog niet altijd bekend is. Via Skype kun je gratis bellen via internet. Dat is natuurlijk reuze handig en goedkoop als je wilt bellen met mensen in het buitenland. Maar via Skype kun je ook documenten delen. Dit gaat alleen op het moment dat je met iemand belt. Je kunt dan samen een document bekijken. Ook kun je je beeldscherm laten zien aan de ander(en).

Een ander groot voordeel van Skype is dat het mogelijk is met meerdere mensen tegelijk een telefoongesprek te voeren. Het is handig om één persoon de anderen te laten bellen. Als het gelukt is, kun je gratis een teleconference houden. In de aanloop naar een event heb ik daar veelvuldig gebruik van gemaakt. Erg handig, het bespaart veel tijd, reistijd en geld. Vermeld je Skype-naam in LinkedIn en in de e-mailhandtekening. Dan weten anderen je via Skype te vinden.

Documenten versturen – niet via de mail

Andere mogelijkheden om, met name, grote documenten te delen en niet via mail te versturen:

Gevaren van
online netwerken

Is het hele online netwerken dan een hallelujaverhaal? Ja en nee. Ja, online netwerken brengt de wereld dichterbij, creëert veel kansen en geeft je als ondernemer de ruimte. Nee, er kleven wel degelijk gevaren aan. Ik noem ze kort. De weerstand van mensen komt ook vaak voort uit deze gebieden. Nogmaals: van mij hoef je niet mee te doen! Weten dat het bestaat en daar een bewuste keuze in maken is prima.

Privacy

Alles wat je via social media op internet zet, moet je beschouwen als openbare informatie. Wees niet verbaasd als iemand anders daar ineens over beschikt. Stel je bij alles wat je online zet de vraag: 'Kan dit morgen op de voorpagina van de krant verschijnen?' Als het antwoord 'nee' is, plaats het dan niet.

Je hoeft niet alles te delen. Kies er zelf voor wat je deelt en ga nooit over je eigen grenzen heen.

Don't tweet when you're drunk!

Verslaving

Online netwerken is echt verslavend! Het is leuk, er is altijd iemand online. De meest verslavende sites vind ik Twitter, Facebook en LinkedIn.

Tijdsbesteding

Online netwerken kan ten koste gaan van andere werkzaamheden. Focus en discipline zijn van belang. Het is duidelijk dat als je vooraf een doel stelt aan een bepaalde site je er ook gerichtere aandacht aan kunt besteden.

Onpersoonlijk

Het verzamelen van zoveel mogelijk contacten of vrienden omdat dat statusverhogend zou werken. Het is zeker waar dat als je veel online werkt je ook met veel mensen in contact komt. Soms moet je keuzes maken met wie je interacteert en met wie niet. Het woord 'ontvrienden' was in 2009 niet voor niets het woord van het jaar.

Verklarende woordenlijst

1.0 (web 1.0 generatie) Websites op internet waarvan de inhoud uitsluitend door de eigenaar wordt bepaald

2.0 (web 2.0) Gebruikers kunnen inhoud toevoegen, door bijvoorbeeld te reageren op blogs, video's te uploaden, foto's online te zetten. Ook social network sites worden hieronder gerekend

3.0 (web 3.0) Is het linken en verbinden van vele bestaande 2.0-sites. Internet wordt voor de gebruikers steeds meer een interactief netwerk

Avatar (vaak afgekort tot ava) Het virtuele poppetje waarmee je een game speelt / De afbeelding die je gebruikt op Twitter

Back-up Reservebestanden van je documenten

Bloggen Afkorting van webloggen. Het schrijven en publiceren van artikelen op internet

Browser Software om websites te raadplegen, bijvoorbeeld Internet Explorer of Firefox

Community Groep mensen die zich rondom een thema op internet verzamelt

Control-A Alles selecteren

Control-C Kopiëren | Copy

Control-V Plakken | Paste

Control-X Verwijderen

Cookies Cookies zijn kleine tekstbestandjes die door een website op je computer aangemaakt worden

Crowdsourcen Gebruikmaken van de kennis van de groep

Feed Abonnement op een website dat te lezen is via een RSS-reader

HD Hard disk (om informatie op te slaan)

HTML Opmaaktaal voor de specificatie van documenten bedoeld voor internet (HyperText Markup Language)

In the cloud Letterlijk: in de wolk. Er is informatie voor je beschikbaar op internet, via je netwerk

IRL In Real Life (iemand in het echt ontmoeten)

Lifehacking Sneller en efficiënter werken. Kijk op www.lifehacking.nl voor meer informatie

Open source software Software waar de broncode openbaar van is zodat anderen er iets aan kunnen toevoegen

Plug-ins | Add-ons Een plug-in is een aanvulling op een computerprogramma. Plug-ins worden over het algemeen gemaakt om een programma uit te breiden of meer mogelijkheden te geven

RSS Feeds waarmee je snel op de hoogte bent van de sites die je kiest

RSS-Reader De plek waar de feeds verzamelen en in één keer uitgelezen kunnen worden, bijvoorbeeld Google Reader

Social media verzamelnaam voor websites waar je contact maakt met andere mensen of informatie en kennis deelt via internet

Social networking Netwerken via internet via de daartoe bestemde websites

Streamen Live radio, muziek, tv luisteren of kijken via internet. Geen bestanden downloaden op de eigen pc

Tags Trefwoorden

Tag cloud Verzameling trefwoorden visueel in kaart gebracht waarbij de meest gebruikte als grootste verschijnt

Tweep Twitterende mens

Tweet Bericht op Twitter

Tweetup Bijeenkomst van twitteraars

URL Unique Resource Locator (= webadres dat begint met www)

User generated content Websites door de gebruikers ingevuld, bijvoorbeeld blogs, video op YouTube, foto's op Flickr

User participation Gebruikers bepalen zelf wat op een website verschijnt

Virtueel Op internet

Widget Stukje code, een mini-programmaatje, dat je op andere webpagina's kunt laten zien

WiFi Draadloos internet

Dankwoord

Mijn dank gaat uit naar mijn oma's Jantje en Henrica, mijn opa's Geert en Derk, mijn ouders, mijn zus, mijn man, mijn kinderen. Met name man en kinderen hebben het afgelopen jaar een zeer hardwerkende en regelmatig afwezige partner en moeder gehad. Maar ook naar mijn vrienden en vriendinnen, die mij altijd weer het gevoel geven dat ik een enorm rijk netwerk heb.

Ook gaat mijn dank uit naar diverse inspiratoren die social media gebruiken, inzetten en hun inzichten delen met anderen. Ook dank aan allen die naar mijn presentaties en lezingen komen luisteren of meedoen aan workshops. Dank ook aan diegenen die mij inhuren voor deze opdrachten en mij het vertrouwen geven! Veel dank gaat naar mijn twittervriendjes en -vriendinnetjes, ik hoop jullie nog lang in de virtuele kroeg te zien. Dankzij een van mijn Twittervriendinnetjes, Suzanne Unck, kwam ik ook in contact met mijn uitgever Tosca Ruijs; zonder Twitter had ik haar niet zo snel gevonden.

Dit boek was niet tot stand gekomen zonder social networking. Elke vraag die ik had bij het schrijven van dit boek, heb ik op Twitter geplaatst. Al mijn twittervriendjes en -vriendinnetjes hebben een aandeel in dit boek. Het heeft het proces van het schrijven ook een stuk aangenamer gemaakt. Mijn zeer hartelijke dank! Jullie input was onmisbaar, echt waar!

Janet van Keulen en Ben Drost waren mijn proeflezers. Dank voor de tijd die jullie erin hebben gestopt en voor de geweldig nuttige aanvullingen en opmerkingen.

Anne de Haan en Ivan Bartholomeus hebben veel van de LinkedIn- en twittertips tijdens mijn workshops verzameld en uitgewerkt in tekst. Dank!

Sybille Labrijn voor al haar bemoedigende woorden. Zij heeft me gestimuleerd om door te zetten met het schrijven van dit boek. Dank!

Tosca Ruijs van Uitgeverij Scriptum voor het vertrouwen dat ze me heeft gegeven om dit boek te schrijven en te publiceren. Dank!

En natuurlijk moet ik de ontwikkelaars van al die social media sites bedanken, dus: *thanks for inventing Twitter, building LinkedIn, giving Wordpress to the world.*

Maak vooral contact!

Je kunt mij bereiken via:
http://nl.linkedin.com/in/jeanetbathoorn
www.twitter.com/JeanetBathoorn
www.facebook.com/jeanetbathoorn
www.jeanetbathoorn.nl
Of mail naar: connect@jeanetbathoorn.nl

Inspiratiebronnen

Omdat dit boek over social media gaat, is het soms lastig te achterhalen waar bepaalde inzichten of kennis vandaan komen. In de gevallen dat ik de bron weet, is deze vermeld. Maar gedachtegoed van anderen heeft hoe dan ook een belangrijke plaats in dit boek. Ik geef graag de credits aan diegenen die het toekomt, daarom hieronder een lijst van mensen die mij aan het denken hebben gezet of die een inspiratie zijn geweest ofwel motiverend gewerkt hebben. Ook de mensen die op een of andere wijze een bijdrage hebben geleverd, staan hier vermeld. Zonder hen zou dit boek niet zijn ontstaan. Bedankt!

- @Gufler
- Adri van der Zwart
- Alexandra de Vries
- Annabeth Muller
- Anne de Haan
- Annedien Hoen
- Annemarie van Gaal
- Arina Angerman
- Bas van de Haterd
- Ben Drost
- Brigitte van Tuijl
- Caroline Rijnbeek
- Coen Jacobs
- Daisy Goddijn
- Eliane van Beukering
- Ellen van Ree
- Erno Hannink
- Francien van den Boomen
- Gert-Jan Bos
- Grace Dias

- Harriët Kollen
- Henri ter Steeg
- Hub. van de Bergh
- Ivan Bartholomeus
- Ivo Ouwerkerk
- Jacqueline Fackeldey
- Jan Vermeiren
- Janet van Keulen
- Jilles Groenendijk
- Jojanneke van den Bosch
- Jolanda Pikkaart
- Judith Webber
- Jurgen Scholten
- Karin Bronwasser
- Kina Bathoorn
- Laura Babeliowsky
- Lilian Cazemier
- Lisa Portengen
- Marga Groot Zwaaftink
- Marien Pluim
- Martijn Aslander

- Marvin de Reuver
- Matthijs Douwes
- Menno Lanting
- Mike O'Neill
- Nando Pille
- Nils Roemen
- Nino Jacobs
- Petra de Boevere
- Raymond Janssen
- Raymond Witvoet
- Robert Dilts
- Ronald van den Hoff
- Roos van Vugt
- Saskia van der Burgh
- Seth Godin
- Sigrid van der Hoeven
- Simone Levie
- Suzanne Unck
- Sybille Labrijn
- Tessa Faber
- Yuri Henderikse

Ook wil ik iedereen van harte bedanken die lid is geworden van de Facebook-bedrijfspagina van dit boek *Get social, online netwerken voor beginners*. Dat steunt me enorm. Je kunt nog steeds fan worden: www.facebook.com/GetSocial.onlinenetwerkenvoorbeginners.boek.

Literatuur

- Aslander, Martijn, Meeuwsen, Frank, Oosterkamp, Taco, Roemen, Sanne e.a. (2e druk maart 2010). *150 Lifehacking tips*. Culemborg: Van Duuren Management.
- Blom, Erwin (2009). *Handboek Communities*. Utrecht: A.W. Bruna.
- Boevere, Petra de (2010). *Meisje van de Slijterij*. Utrecht: A.W. Bruna.
- Eeden, Rob van (2009). *Netwerken, zo eenvoudig is het (niet)*. Houten: Spectrum.
- Ess, Henk van (2009). *De Google Code*. Amsterdam: Pearson Education.
- Gaal, Annemarie van (2010). *Ambitie. Adviezen voor ondernemers*. Amsterdam: Nieuw Amsterdam.
- Godin, Seth (2009). *Tribes*. Utrecht: A.W. Bruna.
- Groenendaal, Hedwyg van (2010). *Presenteren met Prezi*. Amsterdam: Pearson Education.
- Hannink, Erno (2009). *Laat de klant naar jou komen*. Utrecht: A.W. Bruna.
- Janssen, Raymond (2010). *De kleine Twitter voor Dummies*. Amsterdam: Pearson Education.

- Lanting, Menno (2010). *Connect!* Amsterdam: Business Contact.
- Morel, Kaj (2010). *Identiteitsmarketing.* Schiedam: Scriptum.
- Ravensbergen, Robbert (2009). *Kickstart Wordpress.* Amsterdam: Pearson Education.
- Valkenburg, Jacco (2008). *Recruitment via LinkedIn.* Reed Business.
- Verdonck, Bert (2010). *Your book in 100 days.* St Albans, Hertfordshire: Ecademy Press.
- Vermeiren, Jan (2007). *Let's Connect.* Amsterdam: Pearson Education.
- Vermeiren, Jan (2009). *Hoe LinkedIn nu ECHT te gebruiken.* Rumst, België: Networking coach.
- Vincent, Aaltje & Valkenburg, Jacco (2009). *Solliciteren via LinkedIn.* Houten: Spectrum.
- Wassenaar, Anja (2009). *Slimmer werken: vanaf nu!* Utrecht: A.W. Bruna.

Over de auteur

Het is alweer jaren geleden dat Jeanet Bathoorn werd gegrepen door het internetvirus. Vanuit haar HR-functie kwam ze in aanraking met internet-kandidatenwerving via online media. Niet alleen het innovatieve aspect, maar ook de snelheid en laagdrempelige manier van contact leggen via online media, spraken haar sterk aan. Toen later ook LinkedIn en Twitter hun intrede deden, begonnen social media zo'n belangrijke rol in haar werk en privéleven te spelen, dat ze besloot zich hier professioneel op te richten.

LinkedIn

Jeanet is in staat om materie op een heldere en toegankelijke manier over te brengen op mensen die wel interesse hebben in social media, maar geen idee hebben waar te beginnen. Haar nuchtere instelling, gecombineerd met haar passie voor online netwerken, hebben ertoe geleid dat zij inmiddels grote landelijke bekendheid heeft opgebouwd als social media trainer. Voor wat betreft LinkedIn behoort zij zelfs tot de selecte groep van door LinkedIn gecertificeerde trainers, verbonden aan het Networking Coaching Team van Jan Vermeiren.

Twitter

Ook op gebied van Twitter is Jeanet een veel geraadpleegd deskundige. Zo leert zij ondernemers tijdens praktische workshops hoe zij Twitter kunnen inzetten als zakelijke tool om meer naamsbekendheid op te bouwen, meer klanten te werven en uiteindelijk meer omzet te genereren.

Bloggen

Jeanet geeft op haar weblog regelmatig gratis tips en volgt trends in online media op de voet. Haar 'Twitter handleiding' is een van de meest populaire webpagina's op dit gebied. Daarnaast geeft zij in het hele land workshops en trainingen in onder andere het gebruiken van social media om je netwerk en je klantenkring te vergroten.

Zij is inmiddels te gast geweest bij BNR (Business News Radio) en is geïnterviewd door 3FM. Vele interviews met haar over LinkedIn en Twitter zijn verschenen in vakbladen.

Jeanet Bathoorn (1966) woont samen met haar man en hun drie kinderen.

Websites: www.jeanetbathoorn.nl
www.get-social.nl
Mail: connect@jeanetbathoorn.nl

QR-code

Wil je een persoonlijk filmpje van Jeanet Bathoorn bekijken? Of vind je het leuk om via Twitter of Facebook iets te vertellen over Get Social? Scan dan met je smartphone deze QR-code!

Get social op je smart phone!

shsq.re/7h

G